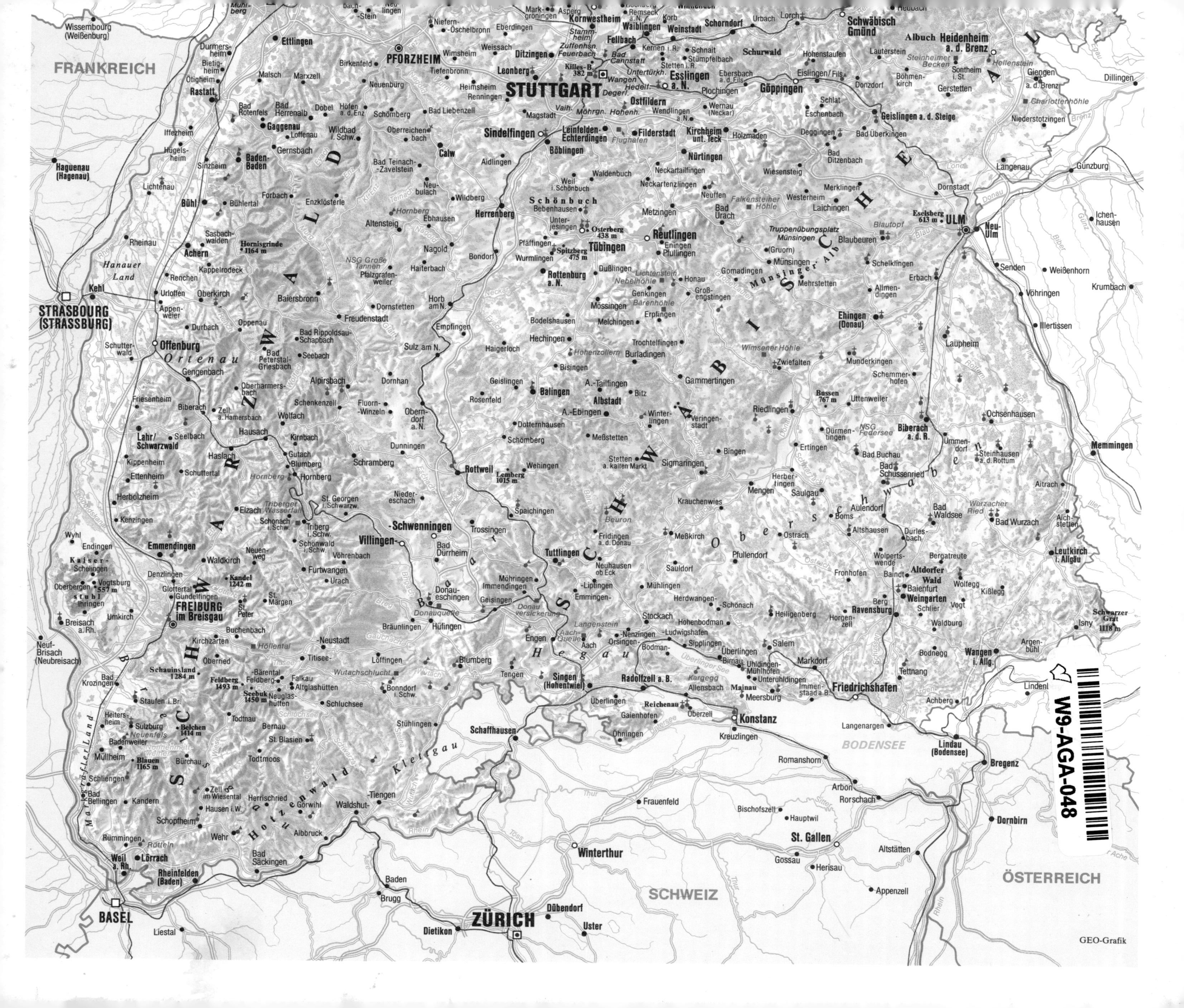

STUTTGART
ZÜRICH
BASEL
STRASBOURG (STRASSBURG)
FREIBURG im Breisgau
ULM
Neu-Ulm
PFORZHEIM
Memmingen
Konstanz
Friedrichshafen
Ravensburg
Tübingen
Reutlingen
Esslingen a.N.
Göppingen
Schwäbisch Gmünd
Heidenheim a.d. Brenz
Biberach a.d.R.
Ehingen (Donau)
Sigmaringen
Tuttlingen
Rottweil
Schwenningen
Villingen-
Donaueschingen
Offenburg
Baden-Baden
Rastatt
Ettlingen
Calw
Herrenberg
Sindelfingen
Böblingen
Leonberg
Nürtingen
Kirchheim unt. Teck
Geislingen a.d. Steige
Balingen
Albstadt
Hechingen
Rottenburg a.N.
Lahr/Schwarzwald
Emmendingen
Lörrach
Rheinfelden (Baden)
Schaffhausen
Singen (Hohentwiel)
Radolfzell a.B.
Lindau (Bodensee)
Bregenz
Dornbirn
St. Gallen
Winterthur
Wangen i. Allg.
Leutkirch i. Allgäu
Feldberg 1493 m
Belchen 1414 m
Hornisgrinde 1164 m
Kandel 1242 m
Schauinsland 1284 m
Lemberg 1015 m
BODENSEE
SCHWARZWALD
SCHWÄBISCHE ALB
Oberschwaben
Hegau
Klettgau
Ortenau
Breisgau
Markgräfler Land
Kaiserstuhl
FRANKREICH
SCHWEIZ
ÖSTERREICH
GEO-Grafik

Baden-Württemberg

With our best wishes
for Christmas & New Year.
from all of the Webering family.
Holzgerlingen.
December 1992.

Fachwerkidylle in Strümpfelbach im Remstal
Idyllic half-timbered buildings in Strümpfelbach in the Rems Valley
Colombages idylliques à Strümpfelbach (vallée de la Rems)

Thomas Pfündel · Eva Walter

Baden-Württemberg

Traditionsbewußt · Zukunftsorientiert

Mit einem Beitrag
zur Geschichte des Landes.
Von Thomas Schnabel

2. erweiterte Auflage

DRW-VERLAG

ISBN 3-87181-278-1

2., um einen Beitrag zur Geschichte des Landes Baden-Württemberg
erweiterte Auflage 1992.

Konzeption und Gestaltung: publica, Stuttgart
Übersetzung: Sprachendienst Dr. Herrlinger, Wannweil
(Englisch: Ruth Mason Herrlinger, Französisch: Danielle Descottes-Steuhl)
Satz und Druck: Karl Weinbrenner & Söhne GmbH & Co., Leinfelden-Echterdingen
Gedruckt auf h'frei weiß mattgestrichen, Bilderdruck 150 g/m² BVS mit Stern
Papierfabrik Scheufelen, Lenningen

Bestellnummer: 278

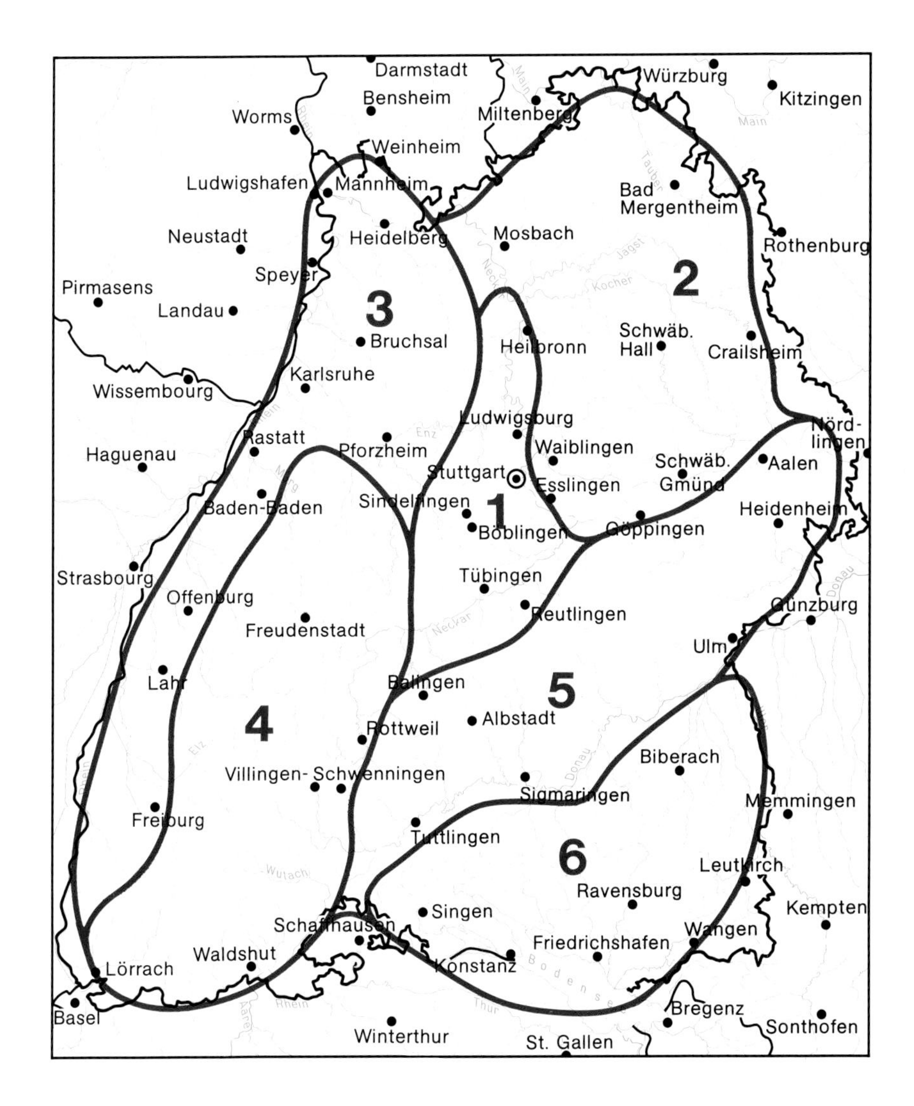

Darmstadt
Bensheim
Würzburg
Kitzingen
Worms
Miltenberg
Weinheim
Ludwigshafen
Mannheim
Bad Mergentheim
Neustadt
Heidelberg
Mosbach
Rothenburg
Speyer
Pirmasens
Landau
3
2
Bruchsal
Heilbronn
Schwäb. Hall
Crailsheim
Karlsruhe
Wissembourg
Ludwigsburg
Nördlingen
Rastatt
Pforzheim
Waiblingen
Haguenau
Schwäb. Gmünd
Aalen
Stuttgart
Esslingen
Baden-Baden
Sindelfingen
1
Heidenheim
Böblingen
Göppingen
Strasbourg
Tübingen
Offenburg
Reutlingen
Günzburg
Freudenstadt
Ulm
Lahr
Balingen
5
4
Albstadt
Rottweil
Biberach
Villingen-Schwenningen
Sigmaringen
Memmingen
Freiburg
Tuttlingen
6
Leutkirch
Ravensburg
Kempten
Singen
Schaffhausen
Friedrichshafen
Wangen
Waldshut
Lörrach
Konstanz
Bregenz
Basel
Winterthur
St. Gallen
Sonthofen

Vernunftehe mit Folgen: Baden-Württemberg

Ein Land wird vierzig Jahre alt. Im Südwesten hat dieser Geburtstag eine besondere Bedeutung: hier wird man nämlich in diesem Alter gescheit, eine Eigenschaft, um die man sich andernorts ein Leben lang vergeblich bemüht, wie nicht ganz ohne Überheblichkeit behauptet wird.

1992 wird der Geburtstag des Bundeslandes Baden-Württemberg in allen Landesteilen gefeiert, eine Tatsache, die bei der Geburt nicht vorauszusehen war. Es war eine schwere Geburt, deren erfolgreichen Abschluß der erste Ministerpräsident des neuen Bundeslandes, Reinhold Maier, am 25. April 1952 in der Stuttgarter Heusteigstraße, dem Sitz der Verfassunggebenden Landesversammlung, verkündete:

»Meine sehr verehrten Abgeordneten. Gemäß § 14, Absatz 4, Satz 2 wird hiermit der Zeitpunkt der Bildung der vorläufigen Regierung auf den gegenwärtigen Augenblick, nämlich auf Freitag, den 25. April 1952, zwölf Uhr 30 Minuten festgestellt (...). Mit dieser Erklärung sind gemäß § 11 des zweiten Neugliederungsgesetzes (...) die Länder Baden, Württemberg-Baden und Württemberg-Hohenzollern zu einem Bundesland vereinigt ... Gott schütze das neue Bundesland, Gott schütze die deutsche Bundesrepublik und er bringe uns wieder unser geliebtes verlorengegangenes in Einigkeit und Gerechtigkeit wiederzuvereinigendes großes deutsches Vaterland.«

Die Vorgeschichte

Erste Überlegungen zu einer staatlichen Neuordnung im deutschen Südwesten gab es bereits nach dem Ersten Weltkrieg, als einige Stimmen die Vereinigung der erst hundert Jahre zuvor in dieser Form entstandenen Länder Baden, Hohenzollern und Württemberg anregten. Daraus wurde jedoch nichts. Immerhin kam es während der Weimarer Republik 1927 zur Gründung des Landesarbeitsamtes Südwestdeutschland, das Baden, Hohenzollern und Württemberg umfaßte, sehr zum Mißvergnügen des württembergischen Wirtschaftsministeriums, das von einer grundlegend verschiedenen Wirtschaftsstruktur der beiden Länder sprach. Auch während des Dritten Reiches wurde an den Ländergrenzen nicht gerüttelt.

Der Einmarsch der Alliierten und die bedingungslose Kapitulation des Deutschen Reiches 1945 veränderten die politische Landschaft im Südwesten nachhaltig. Amerikaner und Franzosen hatten, getrennt marschierend, Baden, Württemberg und Hohenzollern besetzt. Entgegen der Vereinbarungen eroberten die Franzosen die Landeshauptstädte Karlsruhe und Stuttgart. Erst nach massivem Druck der Amerikaner räumten sie die beiden Städte im Sommer 1945 wieder und zogen sich nach Süden zurück.

Zur Grenze wurde die alte Reichsautobahn Karlsruhe–Ulm. Der Norden und die Landkreise, durch die die Autobahn verlief, kamen unter amerikanische Kontrolle, die südlich davon gelegenen blieben unter französischer Kontrolle. Gewachsene Strukturen oder historische Traditionen spielten bei dieser Grenzziehung keine Rolle. Vielmehr beanspruchten die Amerikaner eine durchgehende, gute Straßenverbindung zwischen den einzelnen Teilen ihrer Besatzungszone, nämlich Hessen, Nordbaden, Nordwürttemberg und Bayern. Mit der neuen Grenzziehung besaßen sie die damals schon bestehende Autobahn Frankfurt – Mannheim – Karlsruhe – Stuttgart – Ulm – München.

Der neue »grüne Vorhang« zwischen amerikanischer und französischer Besatzungszone zerschnitt die gewachsenen Strukturen. Die alten Landeshauptstädte Karlsruhe und Stuttgart, aber auch die Mehrzahl der Bevölkerung und vor allem die meisten industriellen Zentren befanden sich im amerikanischen Teil. Die Franzosen mußten mit den überwiegend agrarischen, aber auch weniger zerstörten südlichen Landesteilen vorliebnehmen. Ihre Versuche, Südwürttemberg gegen Nordbaden einzutauschen, scheiterten am Widerstand der Amerikaner.

Diese schlossen Nordbaden und Nordwürttemberg sofort zu dem neuen Land Württemberg-Baden mit der Hauptstadt Stuttgart zusammen. Dabei wurden die Bedenken der Badener übergangen. In der neuen Verfassung von 1946 legten die württembergisch-badischen Verfassungsmütter und Verfassungsväter sogar fest, daß das neue Bundesland nur unter erschwerten Bedingungen wieder aufgelöst werden konnte. Als ersten Ministerpräsidenten setzten die Amerikaner Reinhold Maier ein, den letzten württembergischen Wirtschaftsminister aus der Zeit vor dem Nationalsozialismus. Auch die übrigen führenden Männer der neu entstandenen vier Parteien

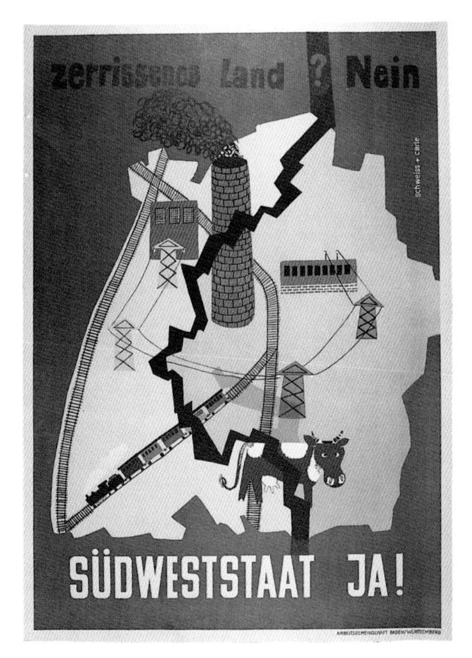

Plakate pro und contra Südweststaat gehörten zu den wichtigsten Agitationsmitteln im Wahlkampf 1950/51.

Ministerpräsident Maier bei einer Fahrt auf dem Neckar am 15. 9. 1952.

CDU, SPD, FDP/DVP und KPD waren meist schon vor 1933 parteipolitisch tätig gewesen, wie z. B. Heinrich Köhler oder Wilhelm Simpfendörfer von der CDU, Wilhelm Keil und Fritz Ulrich von der SPD oder Reinhold Maier und Theodor Heuss von der FDP/DVP.

Die Franzosen gründeten in ihrer Zone zwei Länder: Baden mit der Hauptstadt Freiburg und Württemberg-Hohenzollern mit der Hauptstadt Tübingen und dem Landtagssitz Bebenhausen. Staatspräsident Leo Wohleb in Baden sowie Carlo Schmid, Lorenz Bock und Gebhard Müller in Württemberg-Hohenzollern waren vor 1933 parteipolitisch kaum oder nicht in Erscheinung getreten.

Obwohl sich Franzosen und Amerikaner zunächst vor allem als Sieger verstanden und auch so handelten – Plünderungen, Requisitionen, vollständige Kontrolle des gesamten öffentlichen Lebens etc. –, gab es schon 1945 erste Anzeichen für einen Neubeginn: die mehr oder minder offizielle Zulassung von Gewerkschaften und Parteien, erste Lizenzzeitungen, um nur einige zu nennen. Gleichzeitig konnten die Kirchen ihre Arbeit weitgehend ungestört, von den Alliierten sogar gefördert, fortsetzen, und die deutsche Verwaltung blieb, allen Änderungsbestrebungen zum Trotz, in ihrer Grundstruktur unangetastet. Angesichts der bei Kriegsende in ihrem vollen Ausmaß bekanntgewordenen nationalsozialistischen Verbrechen, z. B. in den auch in Südwestdeutschland zahlreich vorhandenen Konzentrationslagern, und der Ausplünderung der von den Deutschen im Krieg besetzten Länder war dieser frühe Neubeginn nicht selbstverständlich.

Während in Deutschland die Ernährungssituation bis kurz vor Kriegsende erträglich geblieben war, nicht zuletzt aufgrund der Plünderung besetzter Länder, paßten sich nach Kriegsende die Lebensbedingungen in Deutschland den allgemein schlechten Lebensbedingungen in ganz Europa an. Vor allem im wirtschaftlichen und sozialen Bereich verschärfte sich die Lage in den ersten Nachkriegsjahren zusehends.

Der Zusammenbruch der Infrastruktur, die schlechte Ernährungs- und Wohnlage, die Zerstörungen, Demontagen und Entnahmen, die Geldentwertung, aber auch der Mangel an arbeitsfähigen Menschen verhinderten eine wirtschaftliche Besserstellung. Dazu kam im Südwesten noch die Trennung gewachsener Verbindungen durch eine sehr unterschiedlich angelegte Besatzungspolitik. Trotzdem gab es erste Ansätze zu einer Wiederbelebung der Wirtschaft. In häufig enger Zusammenarbeit zwischen Belegschaft und Betriebsrat auf der einen und Betriebsleitung bzw. Unternehmern auf der anderen Seite wurden die ersten Betriebe in Gang gebracht, die Produktion von Krieg auf Frieden umgestellt und gegen Demontagen und Entnahmen protestiert.

Amerikaner und Franzosen bemühten sich besonders um einen kulturellen Neubeginn. Zwölf Jahre in Deutschland verbotene Literatur, Musik, Theaterstücke, Filme etc. wurden angeboten und zumeist sehr begeistert aufgenommen. Im Südwesten entwickelte sich in diesem Bereich zwischen den beiden Besatzungsmächten sogar eine Art Wettstreit.

Landtagspräsident a. D. Keil, SPD (li.) und Ministerpräsident Müller (CDU) 1956.

Im Vordergrund standen jedoch die wirtschaftlichen Nöte. Mit der Währungsreform vom 20. Juni 1948 und der Einführung der DM konnte erstmals wieder seit Jahren für Geld nahezu alles gekauft werden. Allerdings dauerte es noch einige Jahre, bis die sozialen Folgen der Währungsreform beseitigt werden konnten. Im Sommer 1948 fiel auch die Entscheidung für die Einberufung einer Verfassunggebenden Versammlung für Westdeutschland. An deren Ende standen das Grundgesetz und die Bildung der Bundesrepublik.

Da sich die Lebensverhältnisse zwischen dem Norden und dem Süden der alten Länder Baden und Württemberg immer weiter auseinanderentwickelten, bestand im Südwesten ein besonders großes Interesse an einer Vereinigung der drei Westzonen. Es gelang den südwestdeutschen Abgeordneten sogar noch kurz vor der Verabschiedung des Grundgesetzes, eine Sonderregelung für die Lösung der Südweststaatsfrage in die Verfassung einzubauen. Dieser Artikel ermöglichte es, eine staatliche Neuordnung im Südwesten durchzuführen, ohne auf eine grundlegende Neuordnung im gesamten Bundesgebiet warten zu müssen.

Die Bemühungen aller drei Landesregierungen richteten sich auf eine Neugliederung. Über das Ziel war man jedoch völlig zerstritten. In Freiburg strebte man die Wiederherstellung der alten Länder Baden und Württemberg an, in Stuttgart und Tübingen wollte man aus allen drei Ländern einen Südweststaat schaffen. In zahlreichen Verhandlungsrunden konnte man sich nicht auf eine Lösung verständigen, so daß der Bundestag schließlich die gesetzlichen Voraussetzungen für eine Volksabstimmung schaffen mußte.

Die entscheidende Rolle für das weitere Verfahren spielte das Wahlgesetz. Umstritten war nämlich, wie die Stimmen bewertet werden sollten. Es gab drei Möglichkeiten:

1. Die drei Länder bilden ein Abstimmungsgebiet. Die Mehrheit der Stimmen entscheidet.
2. Es wird getrennt in den alten Ländern Baden und Württemberg abgestimmt. Nur bei Mehrheiten in beiden alten Ländern kommt es zum Südweststaat.
3. Das Abstimmungsgebiet wird viergeteilt, nämlich Nordbaden, Nordwürttemberg, Land Baden, Württemberg-Hohenzollern. Eine Mehrheit in drei der vier Bezirke genügt zur Bildung des Südweststaates.

Leo Wohleb, Staatspräsident von Baden und wichtigster Vertreter der Altbadener.

Nach langen Auseinandersetzungen setzte sich die dritte Möglichkeit durch, die den Südweststaatsanhängern zugute kam. Von einer informativen Volksbefragung im September 1950 wußte man, daß die beiden württembergischen Bezirke und Nordbaden für den Südweststaat eintraten, während in Südbaden die Mehrheit dagegen war. Im alten Land Baden zeichnete sich eine knappe Mehrheit gegen den Südweststaat ab.

Bis zur endgültigen Volksabstimmung im Dezember 1951 begann nun ein Wahlkampf, der mit harten Bandagen geführt wurde. Die Altbadener traten für den Erhalt der Heimat und deren Identität ein und fürchteten, im Südweststaat zu einem provinziellen Anhängsel der übermächtigen Schwaben zu werden, regiert und ausgebeutet vom fernen, finanzstarken Stuttgart. Während die Altbadener vor allem an Heimatliebe und badische Identität appellierten, argumentierten die Südweststaatsanhänger zumeist mit rationalen Begründungen. Das neue, größere Bundesland bringe vor allem wirtschaftliche Vorteile, führe zu Verwaltungseinsparungen und stärke die noch junge föderalistische Struktur der Bundesrepublik, indem es ein Gegengewicht zu den beiden großen Bundesländern Bayern und Nordrhein-Westfalen bilde. Gleichzeitig stellten die Anhänger des Südweststaats die Altbadener unter Leo Wohleb als hinterwäldlerisch und rückwärtsgewandt hin.

Trotz des lebhaften und sehr emotional geführten Wahlkampfes brachte die Volksabstimmung kein wesentlich anderes Ergebnis als die Volksbefragung ein starkes Jahr zuvor. In Nord- und Südwürttemberg stimmten bei einer allerdings geringen Wahlbeteiligung über 90% für den Südweststaat. In Nordbaden sprachen sich 57% für den Südweststaat aus, während in Südbaden über 62% das alte Land Baden wiederherstellen wollten. Damit war die erforderliche Mehrheit für die Bildung des Südweststaates vorhanden.

Die Altbadener wollten sich damit jedoch nicht abfinden, denn in Nord- und Südbaden zusammen hatte sich eine knappe Mehrheit von 52% für die Wiederherstellung des alten Landes Baden ergeben. Der Heimatbund Badnerland erreichte schließlich, daß das Bundesverfassungsgericht 1956 eine erneute Abstimmung in Baden verfügte. Allerdings wurde dieser Volksentscheid jahrelang verschleppt und erst im Juni 1970 durchgeführt. Zu diesem Zeitpunkt stellten die Badener mit Hans Filbinger von der CDU den Ministerpräsidenten und mit Walter Krause von der SPD auch den stellvertretenden Ministerpräsidenten und Innenminister. Trotzdem bestand eine gewisse Unsicherheit, wie sich die Badener entscheiden würden, und die Regierung setzte sich nachhaltig für den Erhalt Baden-Württembergs ein. 1970 hatte sich das neue Bundesland auch in den Augen vieler seiner ehemaligen Gegner bewährt, und der Volksentscheid wurde zu einem überwältigenden Vertrauensbeweis für Baden-Württemberg. Knapp 82% der Badener entschieden sich für den Verbleib bei Baden-Württemberg, selbst in Südbaden waren es knapp 80%. Damit war das neue Bundesland endgültig vom Volk bestätigt und gleichzeitig waren die ersten 18 gemeinsamen Jahre von Badenern und Württembergern positiv gewürdigt.

»Südwestdeutsche Brautwerbung«, Stuttgarter Zeitung v. 27. 8. 1949. Die württembergischen Freier Maier und Müller werben um die badische Braut Wohleb.

Die politische Entwicklung

Auch knapp vierzig Jahre nach der Gründung fällt die Bilanz sehr günstig aus. Der wirtschaftliche Erfolg des Landes hat den Südweststaatsbefürwortern Recht gegeben, und die Befürchtungen der Badener haben sich, allen noch bestehenden Vorbehalten zum Trotz, nicht erfüllt. Die Landesteile sind zusammengewachsen, ohne daß sie ihre regionale Identität verloren hätten. Dazu beigetragen haben auch die rasanten Veränderungen in Wirtschaft und Gesellschaft seit Gründung des Landes, die, aufbauend auf den regionalen Strukturen und Eigenheiten, das Gesicht des heutigen Baden-Württemberg prägen.

Dabei hatte es auf der politischen Bühne zunächst gar nicht so friedlich und einvernehmlich begonnen. Bei der Wahl zur Verfassunggebenden Landesversammlung im März 1952 war zwar die CDU zur stärksten Partei geworden, aber Reinhold Maier hielt sie zunächst von der Regierung fern, indem er völlig überraschend aus SPD, FDP/DVP und der Partei der Vertriebenen die erste Landesregierung bildete. Damit waren aber auch die Altbadener zunächst aus der Regierung ausgeschlossen, da diese zumeist der CDU angehörten. Die Ängste der Badener bewahrheiteten sich scheinbar. Gleichzeitig war man bei der Arbeit an der neuen Verfassung auf die Zusammenarbeit mit der CDU angewiesen.

Nachdem die CDU bei der zweiten Bundestagswahl 1953 in Baden-Württemberg, man hatte sich erst nach langen Debatten für diesen Namen entschieden, die absolute Mehrheit errungen hatte, konnte sich Reinhold Maier nicht mehr länger als Ministerpräsident behaupten. Er trat im Oktober 1953 zurück. Sein Nachfolger wurde der frühere Staatspräsident von Württemberg-Hohenzollern, Gebhard Müller von der CDU. Da SPD, FDP/DVP und die Vertriebenen in der Regierung verblieben, bestand die Landtagsopposition

nur noch aus den vier KPD-Abgeordneten bei insgesamt 121 Volksvertretern. Nach Bildung der Regierung gelang es auch sehr schnell, die Verfassungsberatungen zu einem erfolgreichen Ende zu bringen und im November 1953 die Verfassung des Landes Baden-Württemberg zu verabschieden.

Die ersten Jahre der baden-württembergischen Landespolitik standen ganz im Zeichen des Zusammenwachsens der verschiedenen Landesteile. Aus diesem Grund bildeten auch alle vier im Landtag vertretenen Parteien zusammen zwischen 1956 und 1960 die Regierung. Diese Allparteienregierung ist in der bundesrepublikanischen Geschichte einmalig. Obwohl diese Form der Regierung dem Zusammenwachsen der einzelnen Landesteile und der verschiedenen Bevölkerungsgruppen förderlich war, führte das Fehlen jeglicher parlamentarischen Opposition zu einem starken Desinteresse an der Landespolitik.

So lag die Wahlbeteiligung bei der Landtagswahl von 1960 bei nur noch 59%, dem niedrigsten Wert aller Landtagswahlen seit 1952. Ministerpräsident Kurt Georg Kiesinger – Gebhard Müller war 1958 als Präsident des Bundesverfassungsgerichtes nach Karlsruhe gegangen – bildete schließlich eine kleine Koalition aus CDU, FDP/DVP und Vertriebenen. Vier Jahre später schieden die Vertriebenen aus dem Landtag aus. Ihre politische und gesellschaftliche Eingliederung einerseits und damit verbunden die Auseinanderentwicklung der Interessen der Vertriebenen andererseits führten zur Auflösung der Vertriebenenpartei und zum Anschluß ihrer Vertreter an die »alten« Parteien. Obwohl CDU und FDP/DVP sich 1964 auf eine weitere vierjährige Zusammenarbeit geeinigt hatten, kam es schon zwei Jahre später zum Bruch, ausgelöst durch die Ereignisse in Bonn. Bundeskanzler Ludwig Erhard trat zurück, und der baden-württembergische Ministerpräsident Kurt Georg Kiesinger wurde als Kanzler einer Großen Koalition zu seinem Nachfolger gewählt. In Stuttgart sollte an seine Stelle der Badener Hans Filbinger treten, der die alte Koalition zunächst weiterführen wollte. Die FDP war sich jedoch lange Zeit nicht schlüssig, ob sie mit der CDU oder mit der SPD koalieren sollte. Dieses Herumlavieren wurde den beiden großen Parteien schließlich zu bunt, und sie vereinbarten eine Große Koalition. Dabei wurde auch die seit 1953 ungeklärte Schulfrage gelöst, indem die christliche Gemeinschaftsschule zur Regelschule wurde. Bis 1967 gab es in Südwürttemberg noch viele Konfessionsschulen, d. h. die meisten Volksschüler mußten entweder in katholische oder evangelische Schulen gehen.

Ein Prost auf die Große Koalition 1966. V.l.n.r.: Walter Krause (SPD), Rudolf Schieler (SPD), Hans Filbinger (CDU), Horst Ehmke (SPD).

Obwohl die Zusammenarbeit von CDU und SPD, die zusammen beinahe 90% aller Landtagssitze innehatten, ursprünglich nur für kurze Zeit geplant gewesen war, führte das Landtagswahlergebnis von 1968 zu einer Verlängerung der Koalition. Die ersten wirtschaftlichen Schwierigkeiten in der Bundesrepublik, die Auseinandersetzungen um die Notstandsgesetze, die Studentenunruhen, vielleicht auch das Fehlen einer wirksamen Opposition brachten den längst verschwunden geglaubten Rechtsradikalen in Baden-Württemberg einen großen Erfolg. Die NPD erhielt knapp 10% der Stimmen und zog mit zwölf Abgeordneten in den Stuttgarter Landtag ein. Besonders erfolgreich hatte sie in ehemaligen Hochburgen der Nationalsozialisten abgeschnitten. Da keine der demokratischen Parteien mit der NPD koalieren wollte, CDU und FDP/DVP eine Zusammenarbeit ablehnten und SPD und FDP/DVP zusammen keine Mehrheit besaßen, blieb nur die von den Sozialdemokraten eher zähneknirschend unterstützte Fortsetzung der Großen Koalition.

Wichtigstes Ziel der neuen Regierung Filbinger war eine große Verwaltungsreform, die 1971 auch mit großer Mehrheit beschlossen wurde. Von den 63 ehemaligen Landkreisen blieben nur drei erhalten, 32 wurden neu geschaffen. Gleichzeitig änderte sich die Zusammensetzung der Regierungsbezirke. Entsprachen bis dahin die Regierungsbezirke Karlsruhe und Freiburg dem alten Land Baden sowie Stuttgart und Tübingen dem alten Land Württemberg und dem preußischen Regierungsbezirk Hohenzollern, so nahmen die neuen Verwaltungseinheiten keine Rücksicht mehr auf die alten Strukturen. Nach der wenige Jahre später erfolgten Gemeindereform, die die Zahl der Gemeinden um fast zwei Drittel reduzierte, hatte sich der deutsche Südwesten nach seiner äußeren staatlichen Neuordnung 1952 zu Beginn der siebziger Jahre auch innerhalb seiner Grenzen verwaltungsmäßig völlig neu strukturiert.

Nachdem in Bonn seit 1969 eine kleine Koalition aus SPD und FDP regierte, kam der Übergangscharakter der Großen Koalition noch stärker zum Vorschein. Bei der Landtagswahl 1972 hatten die Wähler deshalb eine klare Alternative zwischen einer CDU-Alleinregierung oder einer SPD/FDP-Koalition. Die Rechtsradikalen spielten (glücklicherweise) keine Rolle mehr. Der CDU unter Hans

Königin Elisabeth II. von England und Ministerpräsident Kiesinger bei der Fahrt durch Stuttgart im Mai 1965.

Filbinger gelang es, die absolute Mehrheit zu erringen. In den darauffolgenden vier Wahlen bis 1988 konnten die Christdemokraten diese Position behaupten. Seit 1953 stellt die CDU den baden-württembergischen Ministerpräsidenten und seit 1972 das komplette Kabinett.

Auf Hans Filbinger, der 1978 über das schlechte Erinnerungsvermögen an seine Vergangenheit als Marinerichter stürzte, folgte Lothar Späth, dessen Ziel es war, Baden-Württemberg in ein High-Tech-Land zu verwandeln. Dabei räumte er der Kultur eine zunehmend wichtige Rolle ein. Anfang 1991 trat er zurück, als in der Öffentlichkeit massive Kritik an der Finanzierung seiner Reisen laut wurde. An seine Stelle trat der langjährige CDU-Fraktionsvorsitzende im Stuttgarter Landtag Erwin Teufel.

Baden-Württemberg hatte seit seiner Gründung, trotz der dominierenden Rolle der CDU, eine sehr vielfältige Parteienstruktur. Im Unterschied zu vielen anderen Bundesländern hatten in allen 10 bisherigen Stuttgarter Landtagen mindestens drei Parteien, nämlich CDU, SPD und FDP/DVP, Sitze errungen. Zumeist kam sogar noch eine vierte Partei dazu, die auf besondere Probleme in der jeweiligen Zeit hindeutete. Dies gilt von 1952 bis 1964 für die Vertriebenen, von 1968–1972 für die NPD, die jedoch keine positiven politischen Ziele vertrat, sondern als reine Protestpartei, als Partei der Unzufriedenen, ihre Stimmen gewann. Seit 1980 sitzen die Grünen im Landtag, die einen sichtbaren Ausdruck für die gewachsenen Umweltprobleme und die gestiegene Bedeutung der Bürgerbewegungen darstellen. Stark gefördert wurden diese Bewegungen durch den heftigen und erfolgreichen Widerstand gegen das geplante Kernkraftwerk Wyhl am Kaiserstuhl Mitte der siebziger Jahre.

Trotz zahlreicher Veränderungen können jahrzehntealte politische Traditionen auch heute noch von positiver Bedeutung sein. So wurden schon vor dem Dritten Reich in ganz Württemberg und zum Teil auch in Baden die Bürgermeister direkt vom Volk gewählt. Diese von den Nationalsozialisten abgeschaffte Wahl wurde nach 1945 wieder eingeführt. Nur in Bayern wird der Bürgermeister auch direkt vom Volk gewählt, in Hessen ist es geplant. Ein weiteres Merkmal der besonderen politischen Kultur Baden-Württembergs ist der hohe Anteil parteiunabhängiger Gemeinde- und Stadträte, der durch das an der Persönlichkeit orientierte Kommunalwahlrecht zustande kommt.

Die Veränderungen in der Bevölkerungsstruktur

Die hohe politische Stabilität und Kontinuität wurde trotz – oder vielleicht auch wegen – der großen Veränderungen erreicht, die seit Kriegsende in Südwestdeutschland vor sich gegangen sind. Zu den wichtigsten Veränderungen gehören die großen Bevölkerungsverschiebungen. Trotz der vielen Toten im Zweiten Weltkrieg lag die Einwohnerzahl im Südwesten nach 1945 nicht unter den Vorkriegszahlen. Ab Herbst 1945 kamen nämlich Hunderttausende von Heimatvertriebenen, vor allem aus der Tschechoslowakei, aus Schlesien, Ostpreußen und aus Ungarn. Da sich die Franzosen bis 1949 weigerten, diese auch in ihre Zone aufzunehmen, konzentrierten sie sich zunächst in den ländlichen Bezirken Nordbadens und Nordwürttembergs. In einzelnen Landkreisen lag ihr Anteil an der Bevölkerung bei nahezu 30%. Fünf Jahre nach Kriegsende war jeder achte Einwohner des Landes Heimatvertriebener, d. h. beinahe 900 000 Menschen. Obwohl die Aufnahme und Eingliederung dieser Menschen angesichts der allgemeinen Not auf große Schwierigkeiten stieß, leisteten sie mit ihrer Arbeitskraft einen wesentlichen Beitrag zum wirtschaftlichen Aufschwung des Landes.

In den fünfziger Jahren nahm die Zahl der Heimatvertriebenen durch staatlich gelenkte Umsiedlung und freie Wanderung innerhalb des Bundesgebietes nochmals um beinahe 300 000 Menschen zu. Aber auch aus der DDR strömten Hunderttausende von Flüchtlingen in den Südwesten. Erst der Mauerbau von 1961 beendete diese Wanderung. In diesem Jahr war schon jeder fünfte Einwohner des Landes Heimatvertriebener oder Flüchtling.

Trotz dieses großen Bevölkerungswachstums gab es zu Beginn der sechziger Jahre in der stark expandierenden Wirtschaft einen immer spürbarer werdenden Arbeitskräftemangel. Die Anwerbung von ausländischen Arbeitskräften begann, zunächst vor allem aus Italien, Griechenland, Spanien und Jugoslawien, ab Anfang der siebziger Jahre dann aus der Türkei. Innerhalb von zwanzig Jahren versechsfachte sich der Ausländeranteil im Land und erreichte 1981 mit über 930 000 einen ersten Höhepunkt. Die dadurch entstandene kulturelle Vielfalt spiegelt sich für alle sichtbar vor allem in der Gastronomie wider. Pizzerien, aber auch griechische oder jugoslawische Restaurants gibt es heute fast in jeder südwestdeutschen Kleinstadt.

Ende der achtziger Jahre gab es durch die Öffnung im Ostblock, aber auch durch die zahlreichen Regionalkonflikte und Bürgerkriege in der Dritten Welt einen starken Zustrom an Aus- und Übersiedlern sowie an Asylbewerbern.

Neben dieser Zuwanderung von Menschen, die außerhalb Deutschlands gelebt hatten, profitierte Baden-Württemberg in den letzten vierzig Jahren auch von einer starken

Die Lebensverhältnisse der Heimatvertriebenen waren zunächst sehr schlecht. Hier ein Bild aus dem Lager Schlotwiese in Stuttgart 1947.

Binnenwanderung. Die gute wirtschaftliche Lage und der günstige Arbeitsmarkt lockten viele Menschen aus anderen Bundesländern nach Baden-Württemberg. Da damit viele junge Menschen ins Land kamen, verzeichnete der Südwesten auch in den siebziger und achtziger Jahren fast nur Geburtenüberschüsse. Insgesamt nahm die Bevölkerung in Baden-Württemberg seit 1950 fast doppelt so stark zu wie im gesamten Bundesgebiet.

Die wirtschaftliche Entwicklung

Die wirtschaftlichen Erfolge des Südweststaates haben ganz wesentlich, wenn nicht sogar entscheidend, zu der Entwicklung eines gewissen Landesbewußtseins beigetragen. Hohe Wachstumsraten, überproportionaler Anteil am bundesdeutschen Bruttosozialprodukt und relativ geringe Arbeitslosigkeit prägen das Bild von der südwestdeutschen Wirtschaft. Gerade in diesem Bereich zeigt sich auch die große Bedeutung langfristiger struktureller Entwicklungen.

Der Südwesten verfügt nur über wenige Bodenschätze, d. h. es gab und gibt nur wenige Grundstoffindustrien, und das Land war darauf angewiesen, hochwertige Produkte herzustellen. Gleichzeitig wurde das Wirtschaftsleben sehr stark vom Mittelstand geprägt und vom Fehlen eines industriellen Zentrums. Zwar haben Stuttgart und der Mittlere Neckarraum inzwischen eine gewisse Dominanz gewonnen, daneben haben aber auch der Mannheimer Wirtschaftsraum und die Industrien in und um Karlsruhe, Ulm, Pforzheim, Heilbronn, Reutlingen, Villingen-Schwenningen, Friedrichshafen, Heidenheim, um nur einige zu nennen, ihre Bedeutung behalten bzw. noch ausgebaut. Dabei konnten in den achtziger Jahren die beiden stärker ländlich geprägten südlichen Regierungsbezirke Freiburg und Tübingen gegenüber den traditionell erheblich stärker industrialisierten nördlichen Landesteilen Boden gutmachen.

In den letzten vierzig Jahren gab es erhebliche Verschiebungen innerhalb der verschiedenen Wirtschaftsgruppen. Während zu Beginn der fünfziger Jahre die Textilindustrie mit weitem Abstand die meisten Beschäftigten aufwies, gefolgt von Maschinen- und Fahrzeugbau, der Elektrotechnik, Feinmechanik und Optik sowie dem Holz-, Papier- und Druckgewerbe und der Nahrungs- und Genußmittelindustrie, so sieht die Situation heute ganz anders aus. Die Textilindustrie ist erheblich geschrumpft, vor allem aufgrund der starken internationalen Konkurrenz. Auch die Bedeutung der Nahrungs- und Genußmittelindustrie ging zurück, und das Holz-, Papier- und Druckgewerbe konnte sich nur knapp behaupten. Absolut dominant sind nun der Stahl- und Maschinenbau, wozu auch die Automobilproduktion gehört sowie die Elektrotechnik, Feinmechanik, Optik usw. In diesen beiden Wirtschaftszweigen sind inzwischen über eine Million Menschen beschäftigt, doppelt so viele wie zu Beginn der fünfziger Jahre.

Aufgrund dieser Produktionsschwerpunkte nimmt es nicht wunder, daß der Export in Baden-Württemberg eine traditionell herausragende Rolle spielt. Um sich aber auf dem Weltmarkt behaupten zu können, muß die Industrie besonders innovativ sein. Hier bewährt sich die Tradition der Tüftler und Erfinder. 1990 hatte Baden-Württemberg, umgerechnet auf die Einwohnerzahl, mit Abstand die meisten Patentanmeldungen beim Deutschen Patentamt in München, gefolgt von Hessen und Bayern.

Eine weitere traditionelle Eigenheit im Südwesten hat sich bis heute gehalten, wobei die ursprünglich nur den Schwaben nachgesagten Eigenschaften durchaus auch bei den Badenern zu finden sind, nämlich neben dem Schaffen auch das Sparen und »Häuslebauen«. Die Spareinlagen jedes Baden-Württembergers liegen über dem Bundesdurchschnitt, wobei die Bauspareinlagen den Bundesdurchschnitt sogar weit übertreffen. Man spart im Südwesten mit dem Ziel des »Häuslebauens«. Der Eigenheimanteil ist deshalb im Land auch besonders hoch.

In Baden-Württemberg hat das produzierende Gewerbe eine gegenüber dem Bundesgebiet weit überdurchschnittliche Bedeutung. Demgegenüber spielt der stark expandierende Dienstleistungsbereich im Land noch eine vergleichsweise untergeordnete Rolle. Gerade in diesem Bereich werden im Südwesten verstärkte Anstrengungen notwendig werden, um den wirtschaftlichen Spitzenplatz behaupten bzw. sogar noch ausbauen zu können.

Einen völlig anderen Eindruck von Baden-Württemberg würde ein Reisender bekommen, der heute, nach vierzig Jahren, zum ersten Mal wieder durch das Land fahren würde. Vermutlich hätte er zu Beginn der fünfziger Jahre die Bahn genommen, deren Streckennetz inzwischen aber um 600 Kilometer geschrumpft ist. Auf den Straßen fuhren damals überwiegend Motorräder. Erst Ende der fünfziger Jahre überstieg die Zahl der zugelassenen Personenkraftwagen die Zahl der zugelassenen Krafträder. Danach ging es steil bergauf. Fuhren 1950 nicht einmal hunderttausend

In Südwestdeutschland war traditionell ein besonders hoher Anteil der Frauen erwerbstätig; hier bei der Firma Sunlicht in Mannheim 1948.

Die (leere) Autobahn Stuttgart-Ulm vor 40 Jahren; im Hintergrund der Drackensteiner Hang.

Pkw auf Baden-Württembergs Straßen, so waren es zehn Jahre später bereits weit über 600000. Eine weitere Dekade darauf bewegten sich schon beinahe 2,5 Millionen Autos im Südwesten. 1980 war die Viermillionengrenze überschritten, und 1990 gab es nochmals 1,5 Millionen Fahrzeuge mehr. Mit diesem Wachstum konnte der Straßenbau nicht Schritt halten, obwohl die Streckenlänge z. B. der Autobahnen verdreifacht wurde. Der Weg in die »Staugesellschaft«, wie ein Journalist kritisch anmerkte, ist im Großraum Stuttgart weit vorangeschritten.

Da in Baden-Württemberg drei Automobilhersteller produzieren, die zusammen mit ihren Zuliefererfirmen Hunderttausenden von Menschen Arbeit geben und wesentlich zum Wohlstand des Landes beitragen, ist bei einem stark gestiegenen Umweltbewußtsein die Notwendigkeit, neue umweltschonende und intelligente Verkehrslösungen zu entwickeln, enorm gewachsen. Seit 1991 ist Baden-Württemberg das erste Bundesland mit einem eigenen Verkehrsministerium. Dieses soll die Verkehrslage verbessern, die Mobilität der im Südwesten besonders zahlreichen Berufspendler erhalten, die Belastung der Umwelt verringern und gleichzeitig die Arbeitsplätze in der Automobilindustrie nicht gefährden.

Vollendet wurde im Südweststaat die in den dreißiger Jahren begonnene Kanalisierung des Neckars, während ähnliche Planungen für den Hochrhein von Lörrach bis zum Bodensee in den sechziger Jahren scheiterten. Dieses Scheitern ermöglichte es aber, daß der Bodensee als Erholungsgebiet erhalten blieb und vor allem zum wichtigsten Trinkwasserreservoir des Landes ausgebaut werden konnte.

Bereits im Oktober 1958 floß das erste Bodenseewasser nach Norden. Dreißig Jahre später erhielten ca. 3,5 Millionen Menschen etwa die Hälfte ihres Wasserbedarfs aus dem See. Diese wichtige Lebensader des Landes unterlag und unterliegt besonders strengen Reinheitskontrollen. Um die Qualität des Wassers nicht zu gefährden, wurde der Bau von Kläranlagen vorangetrieben. Die Investitionen haben sich ausgezahlt und belegen, daß hohe Ausgaben für den Umweltschutz sinnvoll sind.

Allerdings ist die Wasserqualität im Lande bei weitem nicht überall so gut wie im Bodensee. Neben der starken Industrialisierung wird dies vor allem durch die grundlegenden Veränderungen in der Landwirtschaft verursacht. Noch zu Beginn der fünfziger Jahre war Baden-Württemberg stark landwirtschaftlich geprägt, vor allem in den südlichen Landesteilen, aber auch im Osten und Nordosten des Landes. Mehr als ein Viertel der Erwerbspersonen, d. h. mehr als 800000 Menschen, arbeiteten in der Land- und Forstwirtschaft. Vierzig Jahre später waren es noch etwas mehr als 150000, d. h. nicht einmal mehr 5% der Erwerbstätigen. Gleichzeitig stiegen die durchschnittlichen Betriebsgrößen, die im Südwesten aufgrund der weitverbreiteten Realteilung immer vergleichsweise niedrig lagen, deutlich an. Mit Hilfe einer zunehmenden Mechanisierung und eines steigenden Einsatzes von Dünge- und Pflanzenschutzmitteln wurde der Anbau intensiviert. Damit mußte aber auch die Natur immer mehr den landwirtschaftlichen Erfordernissen angepaßt werden. Felder und Weinberge (z. B. am Kaiserstuhl) wurden maschinengerecht umgestaltet und verödeten dadurch zumeist, Bäche begradigte man, sumpfige Wiesen legte man trokken, Böden wurden überdüngt und gegen Schädlinge anfällige Monokulturen mußten mit immer mehr Pflanzenschutzmitteln behandelt werden.

Die hohe Schadstoffbelastung des Neckars führte an den Schleusen zu Schaumteppichen, Pleidelsheim 1959.

In den fünfziger Jahren entstanden auch schon vereinzelt Hochhäuser, hier der sogenannte »Romeo« in Stuttgart 1956.

Inzwischen setzte in der Öffentlichkeit, aber auch in der Landwirtschaft selbst, ein gewisser Umdenkungsprozeß ein. Die Zahl der unter Naturschutz stehenden Flächen nimmt zu, immer mehr Biotope werden angelegt, Bäche werden renaturiert, selbst der Einsatz von Dünge- und Pflanzenschutzmitteln wird gelegentlich schon reduziert. Neben der Produktion von Lebensmitteln haben die Bauern in den nächsten Jahren eine zunehmende Verantwortung für die Bewahrung der Natur.

Aber auch die Bausünden des Wiederaufbaus und die zunehmende Zersiedelung in den Jahrzehnten nach 1952 haben das Bild der

Städte und ihres Umlandes grundlegend verändert. Obwohl die Bevölkerungsbewegungen der letzten Jahre erneut einen großen Wohnungs- und Baubedarf hervorgerufen haben, ist der Blick für die Gefahren eines immer stärker werdenden Landschaftsverbrauchs gewachsen. Die Bewahrung der Natur ist jedoch nicht nur notwendig, um unseren Lebensraum zu erhalten, sondern zum Teil auch aus wirtschaftlichen Gründen. Der Tourismus, der selbst, z. B. im Schwarzwald, gewisse Gefahren für die Natur mit sich bringt, ist ein wichtiger Wirtschaftszweig des Landes. Nach Bayern verzeichnet Baden-Württemberg mit knapp vierzig Millionen Übernachtungen im Jahr die meisten Gäste in der Bundesrepublik.

»Alt gefreit hat nie gereut«, Stuttgarter Zeitung v. 10. 3. 1982. Über einer Badnerin und einem Württemberger schweben in den Wolken Leo Wohleb (li.) und Reinhold Maier.

Kultur und Bildung

Trotz vierzigjährigen Zusammenwachsens und Verwaltungsreform lassen sich auch heute noch alte Strukturen aus badischer und württembergischer Zeit erkennen. Eine besondere Rolle spielen dabei die Kirchen. Die evangelische Landeskirche in Württemberg und die Diözese Rottenburg-Stuttgart umfassen, wie schon seit beinahe zweihundert Jahren, Württemberg – ebenso wie die Erzdiözese Freiburg und die Evangelische Landeskirche in Baden das alte Baden. Auch heute noch gibt es in Württemberg mehr Protestanten und in Baden mehr Katholiken. Allerdings haben die in der Mehrzahl katholischen Flüchtlinge und die zahlreichen Kirchenaustritte in den letzten Jahren, die in stärkerem Maße die evangelischen Kirchen betrafen, dazu geführt, daß heute mehr Katholiken als Protestanten in Baden-Württemberg leben, während es vor vierzig Jahren noch umgekehrt gewesen war.

Aber nicht nur bei den Kirchen herrscht eine noch an alte politische Einheiten erinnernde Struktur. Auch übergeordnete Behörden wie Bundesbahndirektion, Oberpost- und Oberfinanzdirektion erinnern noch an alte Gebietseinheiten, ebenso verschiedene Sportverbände, z. B. beim Fußball, oder Berufsverbände wie der Bauernverband.

Der Kampf um den Südweststaat, der Streit zwischen Baden und Württemberg, verstellt etwas den Blick darauf, daß diese Staaten in dieser Form gerade 130 Jahre bestanden hatten und es noch sehr viel ältere historische Traditionen gibt wie z. B. die Kurpfalz, Vorderösterreich, die verschiedenen Fürstentümer, die überaus zahlreichen Reichsstädte und die unzähligen kleinen Herrschaften. Das Fehlen eines einzigen mächtigen Staates trug aber auch dazu bei, daß Baden-Württemberg über drei sehr alte Landesuniversitäten verfügt, nämlich über Freiburg, Heidelberg und Tübingen. Dazu kam schon sehr früh vor allem in Württemberg die Förderung der technischen und beruflichen Bildung. Nach dem Zweiten Weltkrieg ging es zunächst darum, das Bildungswesen innerlich und äußerlich wieder aufzubauen. Erst ab den sechziger Jahren setzten dann massive Investitionen im Bildungsbereich ein, die u. a. zur Gründung der Universitäten Konstanz und Ulm, zahlreicher Pädagogischer Hochschulen, zur Eröffnung von Fachhochschulen, Berufsakademien etc. führten. Trotzdem hielt der Ausbau der Einrichtungen in vielen Fällen mit der wachsenden Zahl der Interessenten nicht Schritt. Da Baden-Württemberg auf hochqualifizierte Arbeitskräfte angewiesen ist, werden die Anstrengungen in diesem Bereich eher noch zunehmen müssen. Dies um so mehr, als die deutsche Einigung den Südwesten in eine Randlage gedrängt hat, der europäische Binnenmarkt jedoch gleichzeitig bei verschärftem Wettbewerb die Möglichkeit eröffnet, Baden-Württembergs zentrale europäische Lage auszunützen.

Die vielfältigen historischen Traditionen haben zusammen mit den wirtschaftlichen Erfolgen des Landes aber auch dazu geführt, daß kulturelle Initiativen, z. B. Museen, Theater etc., auf Gemeinde-, Kreis- und Landesebene in den letzten zwanzig Jahren einen ungeahnten Aufschwung genommen haben. Zur kulturellen Vielfalt trägt auch eine »Hinterlassenschaft« der Besatzungsmächte bei. Baden-Württemberg ist das einzige Bundesland, das zwei Rundfunkanstalten beherbergt: den Süddeutschen Rundfunk für den ehemals amerikanisch besetzten Nordteil des Landes und den Südwestfunk für den ehemals französisch besetzten Südteil des Landes und für Rheinland-Pfalz.

Vierzig Jahre nach den teilweise erbitterten Auseinandersetzungen um den Südweststaat stellt Baden-Württemberg immer noch die einzige geglückte Neugliederung der Bundesrepublik dar. Gleichzeitig sind die verschiedenen Landesteile zusammengewachsen, ohne daß sie, zum Glück, ihre regionalspezifischen Eigenheiten verloren haben. Dies alles geschah in äußerem Frieden und bei wachsendem, wenn auch unterschiedlich verteiltem Wohlstand im Innern. Welchen Wandel der ehemals so arme und deshalb zwangsläufig sparsame Südwesten durchgemacht hat, zeigt der Vergleich zwischen den alten, eher kargen Leibspeisen wie z. B. Linsen und Spätzle und der Tatsache, daß heute in Baden-Württemberg die bundesweit meisten ausgezeichneten Restaurants zu finden sind.

Nach vier Dekaden Baden-Württemberg läßt sich jedenfalls sagen, daß die Badener und Württemberger schon vor vierzig Jahren gescheit waren, als sie sich entschlossen, in Zukunft gemeinsam die anstehenden Probleme zu lösen.

Bildnachweis:
Generallandesarchiv Karlsruhe: I, re; Haus der Geschichte Baden-Württemberg, Stuttgart: I, li (Foto Bernd Eidenmüller); II, 2×; IV, re unten; V; VI; VII, 3× (a.h.p. Weishaupt); Stadtarchiv Freiburg: III, li oben (M 75/3, Foto Genzler); Stuttgarter Zeitung: III, unten und VIII (Fritz Meinhard); Ullstein Bilderdienst: IV, oben.

Hinweis für Seite 103: Im August 1991 wurden Friedrich der Große und Friedrich Wilhelm I. nach Potsdam umgebettet.

Das Land Baden-Württemberg

Baden-Württemberg ist der drittgrößte Flächenstaat der Bundesrepublik Deutschland. Im äußersten Südwesten der Bundesrepublik gelegen, grenzt das Land an Frankreich, die Schweiz und Österreich. Seine führende wirtschaftliche Stellung im Ländervergleich verdankt Baden-Württemberg, das am stärksten industrialisierte Land der Bundesrepublik, einer gesunden, gewachsenen Mischung von Klein-, Mittel- und Großbetrieben.

Die weite Hohenloher Ebene im Nordosten des Landes.
The wide expanse of the Hohenlohe plain in the northeast of the State.
La vaste plaine de Hohenlohe au nord-est du land.

Die Landschaften Baden-Württembergs ergeben im Zusammenspiel ein mannigfaltiges Bild. Den Hauptraum des Landes nimmt das südwestdeutsche Schichtstufenland ein, das mit der Schwäbischen Alb beginnt und bis in den Norden des Landes reicht. Das Neckartal durchzieht das Land, in der Baar entspringend, von Süden nach Norden, streift Rottweil, Tübingen, Esslingen, Stuttgart, Heilbronn und Heidelberg und mündet bei Mannheim in den Rhein.

Baden-Württemberg ist ein von wirtschaftlicher Dynamik gekennzeichnetes Bundesland, in dem kritisches und selbständiges Denken Tradition hat und in dem Offenheit gegenüber neuen technischen, wirtschaftlichen und geistigen Entwicklungen zu Hause ist. Armut, Rohstoffmangel und die Enge der Lebensstrukturen früherer Zeiten hat die Mentalität der Menschen hierzulande geprägt. Sparsamkeit und Fleiß, ausgeprägtes Selbstbewußtsein und starker Wille zur Eigenständigkeit haben Baden-Württemberg zum Land der Tüftler und Erfinder gemacht. Dieser Erfindungsgeist gehört keineswegs nur der Vergangenheit an. Mit gleichbleibenden 76 Patentanmeldungen pro 100 000 Einwohner und Jahr liegt Baden-Württemberg an der Spitze der Bundesländer.

Bedeutende Dichter und Philosophen – Hölderlin, Schiller und Wieland, Schelling und Hegel – sind in Baden-Württemberg geboren und aufgewachsen. Ihren Wirkungskreis fanden sie allerdings, vielfach aus politischen Gründen, nur außerhalb des Landes. Viele Dichter wie Mörike, Kerner und Schwab gingen einem Brotberuf nach, wenn sie nicht in die Politik einstiegen wie Ludwig Uhland, der Landtagsabgeordneter und Mitglied der Frankfurter Nationalversammlung 1848 war. Auch die erste große Dame der deutschen Literatur, Sophie von La Roche, geb. Gutermann, stammt aus dem „Ländle“. Sie ebnete den Weg für Generationen von Schriftstellerinnen nach ihr.

Die Hohenloher Ebene im Nordosten des Landes durchfließen Kocher, Jagst und Tauber. Der südliche Odenwald markiert die nordwestliche Grenze des Landes. Den westlichen Abschluß bildet die oberrheinische Tiefebene mit dem Kaiserstuhl. Daran schließt sich im Osten der Schwarzwald an.

Die Donau entspringt mit den beiden Flüßchen Brigach und Breg im Schwarzwald. Bei Donaueschingen fließen sie zur Donau zusammen. Diese durchzieht in einem wildromantischen Durchbruchstal zunächst die Südwestalb und bildet dann die Grenze zwischen der Schwäbischen Alb und Oberschwaben. Diese heitere Landschaft mit ihren Hügelketten, Wäldern, Seen und Mooren gehört zum Alpenvorland. Den Abschluß nach Süden bildet der Bodensee.

Die Spuren der ersten Menschen führen nach Heidelberg, Steinheim an der Murr und Stuttgart-Bad Cannstatt. Diese „Urmenschen“ lebten vor 600 000 und 300 000 Jahren während der Eiszeit. Kunstwerke, die 30 000 Jahre alt sind, fand man in der Vogelherdhöhle im Lonetal und im Geißenklösterle bei Blaubeuren. Pfahlbaudörfer aus der Steinzeit sind vom Bodensee und von Funden aus den oberschwäbischen Mooren bekannt.

Seit dem sensationellen Fund von Hochdorf in den Jahren 1978/79, als die reich ausgestattete Grabkammer eines „Keltenfürsten" zutage gefördert wurde, sind die Kelten dem Dunkel der Geschichte entronnen. In Baden-Württemberg gibt es eine Reihe von Zeugen dieser Zeit, beispielsweise die Burganlage der Heuneburg bei Hundersingen an der Donau. Ganz in der Nähe liegt einer der größten Grabhügel Mitteleuropas, der Hohmichele.

Das Murgtal im Schwarzwald: ein Bach mit klarem Wasser.
The Murgtal valley in the Black Forest with its clear stream.
La vallée de la Murg en Forêt-Noire et son torrent limpide.

Auch aus der Römerzeit werden von Aalen bis Zwiefalten immer neue Funde geortet. Die Römer hinterließen ihre Spuren beispielsweise entlang des rätischen Limes, der sich von Regensburg her durchs Remstal bis nach Lorch zog, und am obergermanischen Limes, der von Lorch aus durch den Schwäbisch-Fränkischen Wald nach Norden führte. Im 3. Jahrhundert n. Chr. überrannten die Alemannen den römischen Limes und siedelten sich dort an. Der Stamm der Franken unter Chlodwig brach im Jahr 496 vom Niederrhein in die nördliche Landeshälfte ein und drängte die ansässigen Schwaben-Alemannen nach Süden zurück. Heute noch ist diese alte Grenze als Mundartgrenze zwischen dem Schwäbisch-Alemannischen und dem Fränkischen erhalten.

Wichtiger Mittelpunkt karolingischer Kultur war das Kloster auf der Bodenseeinsel Reichenau. Vom irischen Abt und Wanderbischof St. Pirmin in den Jahren 724 bis 726 gegründet, wurde das Kloster zum Vorposten der christlichen Kultur im südlichen Deutschland. Viele Klöster des Landes, von St. Blasien über Hirsau bis Beuron, wirkten siedlungspolitisch, wirtschaftlich und kulturell bahnbrechend.

Im Mittelalter beherrschten mächtige Adelsgeschlechter das Land. Die Zähringer beispielsweise, aus denen die Markgrafschaft Baden hervorging, gründeten die Städte Freiburg und Villingen. Die Staufer – ihre Stammburg war Burg Hohenstaufen auf der Schwäbischen Alb – entwickelten sich zum bedeutenden Kaisergeschlecht. Sie prägten nicht nur Politik und Wirtschaft, sondern auch die Kultur und Baukunst im Lande. Beispiele dafür sind die Johanniskirche in Schwäbisch Gmünd oder die Pfalz von Bad Wimpfen. Als Konradin, der letzte staufische Herzog, im Jahr 1268 enthauptet wurde, begann die territoriale Aufsplitterung des Landes in zuletzt 600 Einzelstaaten.

Ein buntes Mosaik unterschiedlichster Herrschaften überzog das heutige Land Baden-Württemberg. Zur Vormacht im Süden entwickelte sich das Haus Habsburg, das bis ins Elsaß hinein umfangreichen, aber verstreuten Besitz innehatte. Zwischen Vorderösterreich im Süden und der Kurpfalz im Norden behauptete sich die Markgrafschaft Baden. Im Nordosten herrschte das fränkische Geschlecht der Hohenlohe, während die Grafen von Württemberg im mittleren Neckarraum ihre Herrschaft ausbauten. Ihre Grafschaft wurde 1495 zum Herzogtum erhoben, mit Stuttgart als Landeshauptstadt.

Das Haus Hohenzollern mit seinem Stammschloß auf der Schwäbischen Alb teilte sich in eine schwäbische und eine fränkische Linie, von der die Markgrafen und Kurfürsten von Brandenburg und die späteren preußischen Könige und deutschen Kaiser abstammten. Die schwäbische Linie verblieb in den Grenzen der Stammlande mit Sitz in Sigmaringen, Haigerloch und Hohenzollern. Zwischen den Großen gab es die Territorien der Kleinen: der Ritterschaften und Deutschordensritter, der Reichsstädte und Fürstpropsteien, der Reichsstifte und Klöster, der kleineren Fürstentümer und Grafschaften.

Oberschwaben, eine heitere Landschaft im Südosten des Landes.
Oberschwaben in the Southeast of the State with its cheering landscape.
La Haute-Souabe, un paysage serein au sud-est du land.

Ob man es „Musterkarte der Freiheit“ oder „Schaubild schwäbischer Kleinkariertheit“ nennt – dem bunten Mosaik der südwestdeutschen Kleinstaatenwelt verdankt das Land ein schillerndes Kulturleben. Denn oft genug traten die Einzelstaaten untereinander wirtschaftlich und kulturell in Wettbewerb. Dieser Ehrgeiz hat eine Fülle von regional unterschiedlicher Kultur mit sich gebracht. Baumeister und Gartenkünstler, Maler, Stukkateure und Bildhauer, Musiker und Dichter, Gelehrte 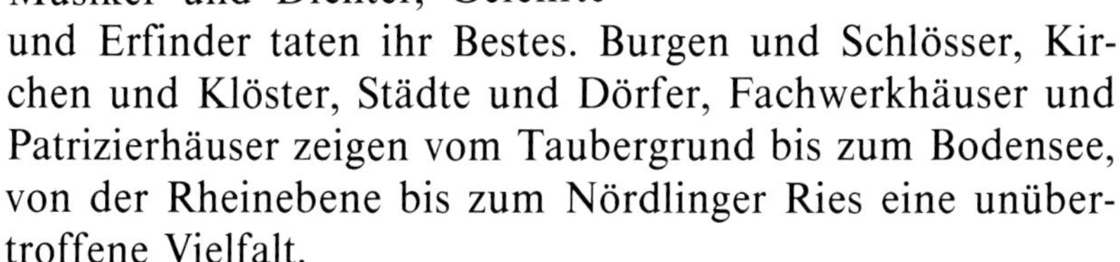
und Erfinder taten ihr Bestes. Burgen und Schlösser, Kirchen und Klöster, Städte und Dörfer, Fachwerkhäuser und Patrizierhäuser zeigen vom Taubergrund bis zum Bodensee, von der Rheinebene bis zum Nördlinger Ries eine unübertroffene Vielfalt.

Die Französische Revolution und nach ihr der Eroberungsfeldzug Napoleons beendete die südwestdeutsche Kleinstaaterei. Die geistlichen Herrschaften wurden säkularisiert, die Reichsstädte und die fürstlichen, gräflichen und reichsritterschaftlichen Territorien wurden mediatisiert. Gewinner waren Herzog Friedrich II. von Württemberg, der sein Land um die Hälfte vergrößern konnte, und Markgraf Karl Friedrich von Baden, dessen Land um das Vierfache wuchs. Baden wurde Großherzogtum und Württemberg Königreich. Nach dem Sturz Napoleons bestätigte der Wiener Kongreß in den Jahren 1815/16 die neuen Staatengebilde im Südwesten, verpflichtete sie aber als Glieder des Deutschen Bundes zu konstitutionellen Verfassungen. Baden erhielt diese am 22. August 1818, Württemberg am 25. September 1819.

Allein das Fürstentum Hohenzollern blieb unabhängig, dank der persönlichen Beziehungen des Fürstenhauses zur Familie Napoleons. Die Fürsten von Hohenzollern überschrieben 1849 ihre Gebiete Preußen. Bis 1945 bildete Hohenzollern einen besonderen, zunächst preußischen Regierungsbezirk. Baden und Württemberg wurden nach der Reichsgründung 1871 Gliedstaaten des Deutschen Kaiserreichs, 1919 Freistaaten der demokratischen Weimarer Republik, unter der NS-Diktatur 1933 gleichgeschaltet und von Reichsstatthaltern geführt.

Nach Ende des 2. Weltkriegs 1945 wurde der Südwesten französisches und amerikanisches Besatzungsgebiet. Frankreich richtete mit Südwürttemberg-Hohenzollern und Baden neue Verwaltungseinheiten ein. Die Amerikaner würfelten Nordwürttemberg und Nordbaden zu Württemberg-Baden zusammen. Mit der Gründung Baden-Württembergs am 25. April 1952 wurde ein starker Gliedstaat der Bundesrepublik Deutschland geschaffen.

Bedeutende Politiker der Nachkriegszeit waren Theodor Heuss (FDP), der erste Bundespräsident der Bundesrepublik Deutschland, und Reinhold Maier (FDP), der erste Ministerpräsident Baden-Württembergs. In diesem Amt folgten ihm Gebhard Müller (CDU), der von 1953 bis 1958 amtierte, Kurt Georg Kiesinger (CDU), der bis zu seinem Antritt als Bundeskanzler 1966 amtierte, Hans Filbinger (CDU) von 1966 bis 1978, Lothar Späth (CDU) von 1978 bis 1991 und Erwin Teufel (CDU).

The State of Baden-Württemberg

Baden-Württemberg is the third largest Federal State in terms of surface area in the Federal Republic of Germany. Situated in the extreme southwest of Germany, the state borders onto France, Switzerland and Austria. Baden-Württemberg, the most highly industrialized state in Germany, owes its leading economic position to a healthy mixture of large, medium-sized and small companies and enterprises.

Baden-Württemberg is a state characterized by a dynamic economy and a history of critical and independent thought, a state which has traditionally welcomed new technological, economic and intellectual developments. The poverty, lack of resources and the restricted structures of life in former times have left their indelible mark on the mentality of the people who live here. Thrift and industriousness, a marked self-confidence and will to be independent have made Baden-Württemberg known throughout Germany and beyond as the home of the ingenious and the inventive. Eminent writers and philosophers such as Hölderlin, Schiller and Wieland, Schelling and Hegel were born and grew up here.

In the Middle Ages, the state was in the hands of powerful families of noble lineage. The Zähringer line, for example, from which emerged the Margravate of Baden, founded the towns of Freiburg and Villingen. The Staufer family, whose ancestral castle was Hohenstaufen on the Swabian Alb, became an important Imperial dynasty. The death of Konradin, the last of the Staufer dukes, who was beheaded in 1268, triggered off a series of territorial divisions resulting finally in a total of no less than 600 independent states.

Whatever else its disadvantages may have been, cultural life was able to thrive in the colourful patchwork of tiny states which developed in the southwest of Germany. Many of the individual states competed with each other both in economic and in cultural terms, resulting in a wealth of regional differences. Builders and landscape architects, painters and sculptors, musicians and poets, scholars and inventors gave of their best. Castles, churches, monasteries, towns and villages, half-timbered houses and patricians' residences offer an unmatched variety throughout the state.

The French Revolution, followed by Napoleon's campaign, put an end to particularism in southwest Germany. The ecclesiastic powers were secularized, the Free Imperial Cities and the territories belonging to princes, dukes and knights of the Holy Roman Empire were mediatized. Those who gained were Duke Friedrich II of Württemberg, whose territories grew by half, and Margrave Karl Friedrich von Baden, whose estates were multiplied by four. Baden became a Grand Duchy, and Württemberg a Kingdom.

Following the fall of Napoleon, the Congress of Vienna of 1815/16 confirmed the new order in the southwest, but obliged the new states as members of the German Confederation to accept constitutions. Baden received its constitution on August 22, 1818, Württemberg on September 25, 1819. Only the Principality of Hohenzollern retained its independence, thanks to personal family connections to Napoleon. In 1849, the Princes of Hohenzollern wrote their territories over to Prussia. Up until 1945, Hohenzollern remained a special, initially Prussian, administrative district. After the foundation of the Empire in 1871, Baden and Württemberg became member states of the German Empire. In 1919, they were free states of the democratic Weimar Republic, and were centrally controlled under the Nazi dictatorship in 1933.

After the end of the Second World War in 1945, the southwest was occupied by the French and American forces. On April 25, 1952, Baden-Württemberg was founded, forming a strong member state of the Federal Republic of Germany. Major politicians of the post-war era include Theodor Heuss (FDP), the first President of the Federal Republic of Germany, and Reinhold Maier (FDP), the first Minister President of Baden-Württemberg. This office was subsequently held by Gebhard Müller (CDU) between 1953 and 1958, Kurt Georg Kiesinger (CDU) until his appointment as Federal Chancellor in 1966, Hans Filbinger (CDU) between 1966 and 1978, Lothar Späth (CDU) between 1978 and 1991 and the present Minister President Erwin Teufel (CDU).

Le land de Bade-Wurtemberg

Par sa surface, le Bade-Wurtemberg est le troisième land de République Fédérale d'Allemagne. Il est situé au sud-ouest de la République Fédérale et est voisin de la France, de la Suisse et de l'Autriche. Le Bade-Wurtemberg, le land le plus industrialisé de République Fédérale, doit sa position dominante sur le plan économique au mélange de grandes, de moyennes et de petites entreprises.

Le Bade-Wurtemberg est une région remarquable par son grand dynamisme économique et où, traditionnellement, l'esprit critique va de pair avec l'indépendance de la pensée et où l'on est ouvert aux nouveautés techniques, économiques et intellectuelles. La pauvreté, le manque de matières premières et l'étroitesse des structures passées ont déterminé la mentalité de la population locale. Le sens de l'économie et le courage, le sentiment de sa propre valeur et une forte volonté d'indépendance ont permis au Bade-Wurtemberg de devenir le pays des inventeurs et des bricoleurs. Des poètes et des philosophes importants – Hölderlin, Schiller et Wieland, Schelling et Hegel – sont nés et ont grandi ici.

Au Moyen-Age, de puissantes familles princières dominaient le pays. Les Zähringen, par exemple, qui furent à l'origine du margraviat de Bade fondèrent les villes de Fribourg et de Villingen. Quant aux Hohenstaufen qui devaient devenir une illustre lignée impériale, le château-fort de Hohenstaufen dans le Jura souabe fut leur berceau. Lorsque Konradin, le dernier des ducs de Hohenstaufen, fut décapité en 1268, la division du pays en une multitude de principautés commença. Il y en eut jusqu'à 600.

Qu'on la baptise «la carte modèle de la liberté» ou «l'illustration de l'esprit petit bourgeois des Souabes», c'est à cette mosaïque colorée de petits Etats du sud-ouest de l'Allemagne que cette région doit sa vie culturelle chatoyante, car, bien souvent, ils se concurrençaient sur le plan culturel et économique. Et cette ambition a permis la naissance d'une quantité de cultures régionales différentes. Les architectes et les paysagistes, les peintres, les stucateurs et les sculpteurs, les musiciens et les poètes, les savants et les inventeurs donnaient le meilleur d'eux-mêmes. Des bords de la Tauber au Lac de Constance, de la vallée du Rhin au Nördlinger Ries, les châteaux-forts et les palais, les églises et les monastères, les villes et les villages, les maisons à colombage et les demeures des patriciens présentent une diversité incomparable.

La Révolution française, puis les campagnes napoléoniennes mirent fin à la multitude des petits Etats du sud-ouest de l'Allemagne. Les domaines de l'église furent sécularisés, les villes libres impériales et les territoires appartenant aux princes, aux comtes et aux chevaliers du Saint-Empire furent médiatisés. Les gagnants furent le duc Frédéric II de Wurtemberg qui put agrandir de moitié son pays et le margrave Charles Frédérique de Bade qui parvint à quadrupler la surface de son territoire. Le Bade devint un grand-duché et le Wurtemberg un royaume.

Après la chute de Napoléon, le Congrès de Vienne confirma en 1815/1816 l'existence des Etats nouvellement formés dans le sud-ouest, mais il les obligea à adopter des constitutions pour devenir membres de la Confédération germanique. Le Bade reçut la sienne le 22 août 1818 et le Wurtemberg le 25 septembre 1819. Seule, la principauté de Hohenzollern conserva son indépendance grâce aux relations personnelles existant entre la maison princière et Napoléon. En 1849, les princes de Hohenzollern transférèrent leurs territoires à la Prusse. Jusqu'en 1945, le Hohenzollern forma un district particulier, tout d'abord prussien.

Après la fondation de l'empire en 1871, le Bade et le Wurtemberg furent des Etats membres de l'empire allemand puis de la république de Weimar en 1919. En 1933 sous la dictature nazie, ils furent mis au pas et dirigés par des «reichsstatthalter». En 1945, à la fin de la seconde guerre mondiale, le sud-ouest fut divisé en zones d'occupation française et américaine. La fondation du Bade-Wurtemberg, le 25 avril 1952, créa un puissant Etat membre de la République Fédérale d'Allemagne. Les hommes politiques importants de l'après-guerre ont été Theodor Heuss, premier président de la République Fédérale d'Allemagne, et Reinhold Maier, premier ministre-président de Bade-Wurtemberg. Cette fonction a été occupée ensuite par G. Müller, K. G. Kiesinger, H. Filbinger, L. Späth et E. Teufel.

Stuttgart und der Mittlere Neckar

Unter die sieben schönsten Städte der Erde zählte der Gelehrte und Weltreisende Alexander von Humboldt Stuttgart. Diese Lobpreisung, die vor etwa 150 Jahren ausgesprochen wurde, vor Carl Benz' und Gottlieb Daimlers umwälzender Erfindung des modernen Kraftwagens und ihren Folgen, meinte vor allem die Lage der Stadt. Die Innenstadt liegt in einem Talkessel, an dessen Hängen sich die Wohnviertel entlangziehen. Den Rand des Talkessels säumen Wälder, und Weinberge reichen bis mitten in die Stadt. Die Landeshauptstadt Stuttgart bietet nicht nur kulturelle und künstlerische Höhepunkte – das Ballett gilt als eines der besten der Welt, der Neubau der Staatsgalerie als ein Meisterwerk der Postmoderne –, auch Altehrwürdiges hat die ehemalige Residenzstadt aufzuweisen: das Alte Schloß, ein mächtiges Renaissancebauwerk, das heute das Württembergische Landesmuseum beherbergt, die spätgotische Stiftskirche, das religiöse Zentrum des evangelischen Württemberg, und das Neue Schloß, die imposante barocke Residenz der württembergischen Herzöge und Könige.

Die Stuttgarter Stiftskirche war Grablege der württembergischen Grafen. Elf dieser bedeutenden Männer, die ihr Land innerhalb von zwei Jahrhunderten zu einem angesehenen Herzogtum emporbrachten, hat der Bildhauer Simon Schlör in Stein im Chor der Stiftskirche verewigt. Die Stammburg der Württemberger war auf dem Rotenberg bei Stuttgart-Untertürkheim, den heute das klassizistische Mausoleum König Wilhelms I. und seiner Gemahlin Katharina krönt. Vom Rotenberg aus hat man eine gute Aussicht über die Stadt, auf den Neckarhafen und auf das Gelände des „Daimler", wie der Autokonzern Mercedes-Benz im Volksmund genannt wird.

In der Landeshauptstadt Stuttgart befindet sich der Sitz der Landesregierung und des Landesparlaments. Stuttgart ist außerdem Zentrum des Regionalverbandes Stuttgart, des Schwerpunktraums der baden-württembergischen Industrie. Im Neckartal von Tübingen bis Heilbronn und seinen Seitentälern Fils, Rems, Murr und Enz haben sich kleine, mittlere und Großunternehmen angesiedelt. In dem Maße, wie die Industriebetriebe sich seit den fünfziger Jahren ausgebreitet haben, veränderten sich Landschaft, Dörfer und Städte.

Die ehemalige Reichsstadt Esslingen, von Stuttgart aus neckaraufwärts gelegen, hat zumindest in der Innenstadt das alte reichsstädtische Flair bewahrt. Zeugen der Vergangenheit sind Burg, Türme und Tore der ehemaligen staufischen Stadtbefestigung, das Alte Rathaus, dessen Südseite alemannisches Fachwerk des 15. Jahrhunderts aufweist und dessen Nordseite Heinrich Schickhardt Ende des 16. Jahrhunderts im Stil der Renaissance umgestaltete.

Südlich der Landeshauptstadt liegt die Filderebene, wo seit Generationen das Filderkraut angebaut wird, ein weißer Spitzkohl. Über seinen Köpfen hinweg braust der Luftverkehr des Flughafens Stuttgart-Echterdingen. Erholungslandschaften für die Großstädter sind zwei ausgedehnte Wälder: der zwischen Rems- und Filstal gelegene Schurwald und der zwischen Stuttgart und Tübingen gelegene Schönbuch.

Dichter und Gelehrte zog die Universitätsstadt Tübingen an. Am Tübinger Stift studierten u. a. Friedrich Hölderlin, Friedrich Joseph Schelling, Georg Wilhelm Friedrich Hegel, Ludwig Uhland und Eduard Mörike. Tübingen zählt zu den schönsten und besterhaltenen mittelalterlichen Städten.

Im Westen von Tübingen beginnt das Obere Gäu. Einen schönen Ausblick über diese Landschaft vor den Toren des Schwarzwaldes hat man von der Herrenberger Stiftskirche. Obstwiesen und Äcker, abgegrenzt von wuchernden Heckengehölzen, charakterisieren das nördlich anschließende Heckengäu. Zwischen letzterem und der Landeshauptstadt Stuttgart liegen die Industriezentren Böblingen und Sindelfingen. Die ehemalige Weberstadt Sindelfingen ist heute in aller Welt als Stätte der High-Tech-Industrie bekannt. Im Werk Sindelfingen/Böblingen der IBM Deutschland wird der erste Megabit-Chip und seit kurzem auch europaweit der erste 4-Megabit-Chip serienmäßig produziert. Seit 1915 sind auch Teile der Mercedes-Benz-AG in Sindelfingen angesiedelt.

Im Nordosten schließt sich das Strohgäu an, das Kleinodien der württembergischen Geschichte bewahrt. Dazu zählt die schwäbisch-alemannische Zimmermannskunst in Markgröningen. Nicht nur das hochberühmte Rathaus aus dem 15. Jahrhundert, auch andere Fachwerkhäuser aus dieser Zeit gehören zur Zierde der Stadt.

Ludwigsburg war im 18. Jahrhundert zeitweise Residenzstadt der württembergischen Herzöge. Ihnen verdankt die Stadt nicht nur das barocke Schloß und den Schloßgarten, das Favoriteschlößchen und das Seeschloß Monrepos, sondern auch eine Porzellan-Manufaktur von Weltruhm. Im Jahr 1758 von Herzog Karl Eugen gegründet, erlebte sie zwischen 1760 und 1770 ihre Blütezeit. Damals entstanden Figuren, die bis heute dort kopiert werden.

Altes keltisches Siedlungsland war die Gegend um den Hohenasperg. Archäologen machten 1978/79 in Hochdorf (Kreis Ludwigsburg) einen sensationellen Fund. Sie entdeckten einen Großgrabhügel, dessen Zentralgrab wahre Schätze enthielt: Luxusgüter aus Bronze, ein neunteiliges Speiseservice, einen riesigen Kessel und ein fahrbares Totenbett, sowie Schmuckstücke aus Gold. Wahrscheinlich gehörte der Fürst, der hier bestattet war, zur Dynastie, die auf dem Hohenasperg angesiedelt war. Doch den Beweis dafür muß man schuldig bleiben, denn auf dem Hohenasperg verhindern die Festungsmauern aus der Renaissance jegliche Ausgrabungen. Als „Jammerberg" und „Demokratenbuckel" ging diese Festung in die Geschichte ein. Denn hier saßen die württembergischen Oppositionellen gefangen: der Dichter und Organist Schubart, die Burschenschafter des Vormärz und die Demokraten der Revolution von 1848.

Das Neckartal ist nicht nur altes Kulturland, in dem Kelten und Römer ihre Spuren hinterlassen haben. Hier ist ebenso traditionsreiches Weinland. Trollinger, Lemberger und Schwarzriesling sind die bedeutendsten Rotweinsorten, Riesling und Kerner die bekanntesten Weißweine. Der Kerner, eine Kreuzung aus Trollinger und Riesling, geht auf den Weinsberger Dichter und Oberamtsarzt Justinus Kerner (1786–1862) zurück. Diese Rebzüchtung entstand in der staatlichen Lehr- und Versuchsanstalt für Wein- und Obstbau in Weinsberg.

Eine der größten Weinbaugemeinden Deutschlands ist die Stadt Heilbronn. Wahrzeichen der ehemaligen Reichsstadt ist die Kilianskirche aus dem 15. Jahrhundert. Der 62 Meter hohe Kiliansturm ist das erste bedeutende Renaissancebauwerk nördlich der Alpen. Offizielle Repräsentationsfigur der Stadt ist das „Käthchen von Heilbronn", die Heldin aus Heinrich von Kleists gleichnamigem Schauspiel (1807/08). Für Kleists Vorbild, ein Mädchen, das weibliche Schönheit und Tugend vereint, hielt man lange Zeit eine Heilbronner Bürgermeisterstochter. Das Käthchenhaus am Marktplatz mit dem berühmten Renaissance-Erker hob sich früher von den Fachwerkhäusern der Stadt besonders ab.

Burg Weibertreu wird die Ruine auf dem Burgberg, zu dessen Füßen sich die Stadt Weinsberg schmiegt, genannt. Denn die Chronik berichtet, daß bei einer Belagerung der Burg im Jahr 1140, als es schlimm um die eingeschlossenen Weinsberger stand, vom Belagerer König Konrad III. den Frauen eine Bitte gestattet wurde: „soviel sie tragen konnten" aus der belagerten Burg herauszuschaffen. So trugen die Frauen ihre Männer huckepack aus der Burg hinaus, und der Stauferkönig mußte zu seinem Wort stehen. Die Erhaltung der Burgruine verdankt die Nachwelt Justinus Kerner, dessen Haus am Fuß des Burgbergs steht. Dort traf sich der schwäbische Dichterkreis, zu dem u. a. Ludwig Uhland, Gustav Schwab, Eduard Mörike, Nikolaus Lenau und Ferdinand Freiligrath gehörten.

Stuttgart: Schloßplatz

Stuttgart and the Central Neckar Region

The philosopher and traveller Alexander von Humboldt classed Stuttgart one of the seven most beautiful cities in the world. Offered up some 150 years ago, long before Carl Benz's and Gottlieb Daimler's world-shattering invention of the modern passenger vehicle and its consequences, this praise referred primarily to the geographical setting of the city. The heart of the town lies in a valley basin on whose slopes stretch the residential areas. Woods ring the edge of the valley basin, and vineyards stretch right down almost to the centre of the town.

The state capital Stuttgart is the home of the state government and the parliament, and is also the nucleus of the thriving industrial life of Baden-Württemberg. Along the Neckar valley from Tübingen to Heilbronn and in the valleys of the rivers Fils, Rems, Murr and Enz which feed the Neckar, small, medium and large-scale enterprises have settled. The industrial expansion experienced since the fifties has changed the face of the countryside, villages and towns.

The university town of Tübingen has traditionally attracted philosophers and scholars to the area. Friedrich Hölderlin, Friedrich Joseph Schelling, Georg Wilhelm Friedrich Hegel, Ludwig Uhland and Eduard Mörike are a few of the famous scholars to have studied at the Protestant Faculty in Tübingen, the Tübinger Stift.

The Böblingen and Sindelfingen area is known throughout the world today as the home of high-tech industry. The first megabit chip was produced in the IBM Deutschland factory in Sindelfingen/Böblingen, and series production began there only recently of Europe's first 4 megabit chip.

In the 18th century, Ludwigsburg was used at times as a seat by the Dukes of Württemberg. It is to them that the town owes not only its Baroque castle and grounds, the "Favorit" residence and the lake castle Monrepos, but also a world-renowned porcelain factory.

The Neckar valley is not only an area with a rich cultural background, in which the Celts and Romans left traces of their presence, but is also wine-growing country with a historical tradition. Trollinger, Lemberger and Schwarzriesling are the most important red wine varieties, Riesling and Kerner the best known white wines.

Stuttgart et le Neckar moyen

Savant et grand voyageur, Alexander von Humboldt comptait Stuttgart parmi les sept plus belles villes du monde. Cette louange émise voilà quelque 150 ans – avant l'invention révolutionnaire de la voiture moderne par Carl Benz et Gottlieb Daimler et les conséquences que celle-ci devait avoir – concernait surtout le site de la ville: son centre se trouve au fond d'une cuvette bordée de forêts sur les pentes de laquelle s'étendent les quartiers résidentiels; et les vignobles descendent jusqu'au centre de la ville.

Capitale du land, Stuttgart abrite le siège du gouvernement et du parlement régionaux. De plus, Stuttgart se trouve au coeur de la fédération régionale de Stuttgart, centre de gravité de l'industrie du Bade-Wurtemberg. Dans la vallée du Neckar, de Tübingen à Heilbronn, et dans les vallées transversales de la Fils, de la Rems, de la Murr et de l'Enz, des entreprises grandes, moyennes ou petites ont un revenu assuré. Le paysage, les villages et les villes se sont modifiés à la suite de l'expansion des entreprises industrielles dans les années cinquante.

L'université de Tübingen a attiré poètes et savants. Friedrich Hölderlin, Friedrich Joseph Schelling, Georg Wilhelm Friedrich Hegel, Ludwig Uhland et Eduard Mörike y ont fait leurs études.

De nos jours, la région de Böblingen et de Sindelfingen est connue dans le monde entier pour sa haute technologie. L'usine de Sindelfingen/Böblingen d'IBM-Allemagne produit en série le premier chip d'Europe d'un mégabit et, depuis peu, le premier chip de 4 mégabits.

Au XVIIIème siècle, les ducs de Wurtemberg résidaient de temps à autre à Ludwigsburg et la ville leur doit son palais baroque et son jardin, le petit château de Favorite et le château de Monrepos avec son lac ainsi qu'une manufacture de porcelaine jouissant d'une réputation mondiale.

La vallée du Neckar n'est pas seulement un pays de vieille civilisation avec des vestiges celtes et romains. Le vignoble y jouit de grandes traditions et le trollinger, le lemberger et le riesling noir sont les sortes de raisin les plus connues pour le vin rouge; quant au riesling et au kerner, ils sont réservés au vin blanc.

„Anständig, frei und breit“ nannte Johann Wolfgang von Goethe 1797 den Stuttgarter Schloßplatz. Im Jahr 1746 ließ der junge Herzog Carl Eugen den Grundstein für den barokken Prachtbau des Neuen Schlosses legen. Die Mitte des Schloßplatzes ziert die Jubiläumssäule (1863) mit einer Concordia-Figur.

In 1797, Johann Wolfgang von Goethe praised the generous expanse of the Schloßplatz in Stuttgart, where in 1746 the young Duke Carl Eugen laid the foundation stone of the splendid "Neues Schloß". The centre of the Schloßplatz is graced by the Jubilee Column (1863) with its statue of Concordia.

Johann Wolfgang von Goethe affirma en 1797 que la place du château de Stuttgart était «décente, libre et large». En 1746, le jeune duc Charles-Eugène posa la première pierre du Nouveau Château, un bâtiment fastueux de style baroque. La colonne du Jubilé (1863) et sa statue de Concordia ornent le centre de la place.

Selten finden sich in einer Stadt Barock und Mittelalter so dicht beisammen wie in STUTTGART. Neben dem Neuen Schloß liegt der mächtige Renaissancebau des Alten Schlosses. Unter Herzog Christoph wurde es Mitte des 16. Jahrhunderts an den Dürnitzbau (um 1330) angefügt.

Stuttgart offers a rare mixture of Baroque and Medieval architecture. Directly next to the Neues Schloß is the impressive Renaissance Altes Schloß, which was added onto the Dürnitzbau (around 1330) under Duke Christoph in the middle of the 16th century.

Il est rare de voir se côtoyer dans une ville – comme c'est le cas à Stuttgart – l'époque baroque et le Moyen-Age. Le puissant édifice Renaissance de l'Ancien Château se trouve à côté du Nouveau Château. Sous le duc Christophe, au milieu du XVIème siècle, il fut ajouté au Dürnitzbau qui date de 1330 environ.

Nur zehn Jahre seines Lebens verbrachte Friedrich Schiller in Stuttgart, als Student der Hohen Carlsschule und Regimentsmedikus. Sein Denkmal (von B. Thorvaldsen, 1839) auf dem Schillerplatz wird umrahmt von den ältesten Gebäuden der Stadt, zu denen auch die Stiftskirche gehört.

Friedrich Schiller spent only ten years of his life in Stuttgart as a student of the Hohe Carlsschule and the Regimental Medical School. His monument on the Schillerplatz (by B. Thorvaldsen, 1839) is encircled by some of the oldest buildings in the town, including the Collegiate Church.

Schiller n'a passé que sept années à Stuttgart, lorsqu'il était élève de la Hohe Carlsschule et médecin de régiment. Le monument de B. Thorvaldsen (1839) élevé à sa gloire est entouré des plus anciens bâtiments de la ville dont fait également partie la collégiale.

Kulturleben in Stuttgart

Cultural Life in Stuttgart · La vie culturelle à Stuttgart

Aus einem über 130 Jahre alten Kernstück entwickelte sich die Wilhelma zu einem modernen zoologisch-botanischen Garten. Berühmt sind der alte Magnolienhain im Maurischen Garten (rechts) und die Flamingos (unten rechts). Die „gute Stube" des Sports in Stuttgart ist das Neckarstadion (unten links).

Stuttgart's extensive and modern zoological and botanical gardens, known as the Wilhelma, have grown up from a nucleus dating back 130 years. The Wilhelma is particularly famous for its magnolia grove (right) and its flamingos (bottom right). The Neckar stadium (bottom left) is the home of sporting activities in Stuttgart.

Créée voici plus de 130 ans, la Wilhelma est devenue un jardin botanique et zoologique moderne. Le vieux bosquet de magnolias du Jardin mauresque (à droite) et les flamants roses (en bas à droite) sont célèbres. Le «Neckarstadion» est le «Salon» du sport à Stuttgart (en bas à gauche).

Zu den kulturellen Attraktionen der Stadt gehören das Ballett (links), die neue Staatsgalerie von J. Stirling (ganz oben) und Veranstaltungen in der Schleyerhalle (oben).

The town has a variety of cultural attractions to offer, including the ballet (left), the "Staatsgalerie" designed by J. Stirling (very top), and all kinds of events in the Schleyerhalle (top).

Le corps de ballet (à gauche), le nouveau musée «Staatsgalerie» de J. Stirling (tout en haut) et les manifestations de la Schleyerhalle (en haut) comptent parmi les attractions culturelles de la ville.

Das Tor am Neckarhaldenweg gehört zur Befestigung der Reichsstadt ESSLINGEN aus der Stauferzeit. Dahinter ragt der Turm der gotischen Frauenkirche hervor. Die beiden mit einer Brücke verbundenen Türme gehören zur romanischen Stadtkirche St. Dionys.

The town gate on the Neckarhaldenweg is part of the fortifications built to protect the Imperial Town of Esslingen during the Staufer period. Behind rises the steeple of the Gothic Church of Our Lady. The two steeples connected by a bridge belong to the Romanesque city church of St. Dionys.

La porte du Neckarhaldenweg fait partie des fortifications de la ville libre impériale d'Esslingen qui remontent à l'époque des Hohenstaufen. On aperçoit à l'arrière-plan le clocher gothique de l'église «Frauenkirche». Les deux clochers reliés par un pont font partie de l'église romane de St-Dionys.

Viele Besucher des ehemaligen Zisterzienserklosters Bebenhausen faßten ihre Eindrücke in Worte, darunter Eduard Mörike. Seinen Versen kann man nachgehen und mit seinen Augen den „gegliederten Turm“ der Kirche, die Brunnenkapelle am Kreuzgang und selbst Eulenspiegel, den Schalk, entdecken.

Many visitors to the former Cistercian monastery at Bebenhausen have immortalized their impressions in words; among them is the poet Eduard Mörike. By following his verses, the keen observer will discover the "jointed spire" of the church, the Brunnenkapelle in the cloister and even Eulenspiegel the joker.

De nombreux visiteurs de l'ancien couvent de Cisterciens de Bebenhausen ont décrit leurs impressions. On peut se laisser guider par les vers de Mörike et voir avec ses yeux le «clocher structuré» de l'église, la chapelle «Brunnenkapelle» dans le cloître et même l'espiègle Eulenspiegel.

Der Hölderlinturm an der TÜBINGER Neckarfront war die letzte Zufluchtsstätte des Dichters Friedrich Hölderlin. An der über 500 Jahre alten Universität lehrten und studierten Größen der deutschen Geisteswelt, darunter Friedrich Joseph Schelling, Georg Wilhelm Friedrich Hegel und Ernst Bloch.

The Hölderlin Tower on the river front at Tübingen was the last refuge of the poet Friedrich Hölderlin. Over its 500 year-old history, the University of Tübingen opened its doors to many of the great names of German philosophy and learning, including Friedrich Joseph Schelling, Georg Wilhelm Friedrich Hegel and Ernst Bloch.

La tour de Hölderlin au bord du Neckar à Tübingen fut le dernier refuge du poète. Les grands noms de la culture allemande ont fait leurs études ou enseigné dans cette université qui existe depuis plus de 500 ans, entre autres Friedrich Joseph Schelling, Georg Wilhelm Hegel et Ernst Bloch.

Das Tübinger Tor der ehemaligen Reichsstadt REUTLINGEN wurde mit der Befestigungsmauer Anfang des 13. Jahrhunderts erbaut. Einst war Reutlingens Textilindustrie weltbekannt, inzwischen hat der Maschinenbau und die Elektrotechnik ihren Platz eingenommen.

The Tübinger Tor of the former Free Imperial City of Reutlingen was built at the beginning of the 13th century as part of the fortified city wall. Reutlingen was once world famous for its textile industry, which has now been largely supplanted by mechanical and electrical engineering.

La porte de Tübingen de l'ancienne ville libre impériale de Reutlingen et le mur d'enceinte furent construits au début du XIIIème siècle. Autrefois, l'industrie textile de Reutlingen était connue dans le monde entier. Dans l'intervalle, les constructions mécaniques et l'électrotechnique l'ont supplantée.

Weltbekannt sind Böblingen und Sindelfingen durch Mercedes-Benz und IBM Deutschland. Böblingens Altstadt liegt auf einer Anhöhe, überragt von der Stadtkirche aus dem 14. Jahrhundert. Die im Jahr 1083 geweihte Martinskirche in Sindelfingen ist eines der ältesten Kunstdenkmale des Landes.

Sindelfingen and Böblingen have become internationally famous as the home of Mercedes-Benz and IBM Deutschland. Böblingen's old quarter is built on a hill, and is dominated by the town's 14th-century church. Sindelfingen boasts one of the oldest preserved art monuments in Baden-Württemberg, St. Martin's Church, consecrated in 1083.

Mercedes et IBM Allemagne ont fait connaître Böblingen et Sindelfingen dans le monde entier. Située sur une colline, la vieille ville de Böblingen est dominée par le clocher de son église qui date du XIVème siècle. Sindelfingen possède l'un des plus anciens monuments artistiques du land: l'église St-Martin qui fut consacrée en 1083.

In Leonberg ist es gelungen, einen historischen Schloßgarten zu rekonstruieren. Der Pomeranzengarten im Stil der Renaissance bietet einen reizvollen Kontrast zur Moderne der Hochhausfassaden.

In Leonberg, a historical Renaissance-style castle garden has been successfully reconstructed. The Pomeranzengarten affords a charming contrast to the surrounding high-rise buildings.

La ville de Leonberg est parvenue à reconstituer le jardin historique d'un château. L'orangerie de style Renaissance forme un contraste intéressant avec les façades des immeubles modernes.

Den reichsstädtischen Charakter bewahrt hat die Altstadt von Weil der Stadt. Besonders schön ist die erhaltene Stadtmauer mit den vier Türmen und den beiden Toren. Hier erblickten der Astronom Johannes Kepler und der Reformator Johannes Brenz das Licht der Welt.

The old quarter of Weil der Stadt has retained the character of a Free Imperial Town of times gone by. The well-preserved town wall with its four towers and two gates adds a very distinct attraction. The astronomer Johannes Kepler and the reformer Johannes Brenz were born here.

La vieille ville de Weil der Stadt a conservé son caractère de ville libre impériale. On peut, en particulier, admirer le mur d'enceinte flanqué de quatre tours et percé de deux portes. C'est là que sont nés l'astronome Kepler et le réformateur Brenz.

Das Ludwigsburger Residenzschloß (oben), 1704 bis 1733 unter Herzog Eberhard Ludwig erbaut, ist die größte erhaltene barocke Schloßanlage Deutschlands. Im Ordenssaal (rechts) wurde am 25. September 1819 die Verfassung des Königreichs Württemberg verkündet, genau hundert Jahre später die Verfassung der ersten demokratisch-parlamentarischen Republik des Landes Württemberg.

The Residential Palace at Ludwigsburg (above), built between 1704 and 1733 under Duke Eberhard Ludwig, is the biggest completely preserved Baroque palace complex in Germany. The constitution of the Kingdom of Württemberg was proclaimed on September 25th, 1819 in the Ordenssaal (right), and exactly one hundred years later in the same room the constitution of the first parliamentary democratic republic of the State of Württemberg.

Le château de Ludwigsburg (en haut), construit de 1704 à 1733 par le duc Eberhard Louis, est le plus grand château de style baroque en Allemagne. Dans la salle des Ordres (à droite), la constitution du royaume de Wurtemberg fut proclamée le 25 septembre 1819 et, exactement cent ans plus tard, celle de la première république démocratique et parlementaire de Wurtemberg.

Über 700 Jahre diente die Festung auf dem HOHENASPERG als Gefängnis. Zu den berühmtesten Häftlingen gehörten die schwäbischen Demokraten, unter ihnen der Dichter Christian Friedrich Daniel Schubart und der Reutlinger Nationalökonom Friedrich List.

The fortress on the Hohenasperg was used for over 700 years as a prison, among whose most famous inmates numbered the Swabian democrats, including the poet Christian Friedrich Daniel Schubart and the economist from Reutlingen, Friedrich List.

La forteresse du Hohenasperg servit de prison pendant plus de 700 ans. Les plus célèbres détenus furent les démocrates souabes, entre autres le poète Christian Friedrich Daniel Schubart et l'économiste Friedrich List.

Württemberger Wein

Wine from Württemberg · Le vin du Wurtemberg

Zu den berühmten Weinlagen des Landes gehören die Felsengärten bei Hessigheim (oben links). Alte Weinbergstaffeln findet man nur noch selten (oben).

The Felsengärten, or "rock gardens" near Hessigheim (top left) belong to the famous wine-growing areas in Baden-Württemberg. Old terraces like these are seldom found nowadays (above).

Les Felsengärten de Hessigheim comptent parmi les crus les plus célèbres du land (en haut à gauche). Il est rare de voir encore les vignobles échelonnés sur les coteaux (en haut).

Die ganze Familie packt bei der Weinlese mit an (links). Zwischen Bottwar- und Neckartal reiht sich eine Weinlandschaft an die andere.

The whole family joins in the grape harvest (left). The scenery between the Bottwar and the Neckar Valley is lined with vineyards.

Toute la famille participe aux vendanges (à gauche). Entre les vallées de la Bottwar et du Neckar, les vignobles se succèdent.

Zeugen der Blütezeit Bad Wimpfens unter den Staufern sind die Gebäude der Kaiserpfalz: der Blaue Turm, das Steinhaus und die Nordwand des ehemaligen Palas mit ihren romanischen Arkaden. Eine schmucke Altstadt mit verwinkelten, engen Gassen und Fachwerkhäusern schließt sich an.

The buildings of the Kaiserpfalz bear witness to the heyday of Bad Wimpfen under the rule of the Staufer dynasty: the Blauer Turm, or "Blue Tower", the Steinhaus and the northern wall of the former great hall with its Romanesque arcades. Adjoining the Kaiserpfalz is a picturesque old quarter with narrow streets and half-timbered architecture.

Les monuments de la Kaiserpfalz témoignent de la prospérité de Bad Wimpfen à l'époque des Hohenstaufen: la Tour bleue, l'hôtel «Steinhaus» et le mur nord de l'ancien palais avec ses arcades romanes. Une charmante vieille ville avec des rues étroites et tortueuses et des maisons à colombage lui fait suite.

Auf einer Bergnase über dem Neckartal bei Neckarzimmern erhebt sich Burg Hornberg. Der fränkische Reichsritter Götz von Berlichingen, Vorbild für Goethes berühmtes Schauspiel, starb hier im Jahr 1562.

The Castle of Hornberg rises over the Neckar Valley near the town of Neckarzimmern. The Frankish Knight of the Holy Roman Empire, Götz von Berlichingen, on whom Goethe's famous play was based, died here in 1562.

Le château-fort de Hornberg se dresse sur un promontoire dominant la vallée du Neckar à Neckarzimmern. C'est là que mourut en 1562 Götz von Berlichingen, chevalier impérial franconien, qui servit de modèle à Goethe dans son célèbre drame.

Schwäbischer Wald und Hohenlohe

Das Remstal vor den Toren Stuttgarts und der Schwäbisch-Fränkische Wald, die Hohenloher Ebene und das Taubertal mit dem Madonnenländchen bilden den Nordosten Baden-Württembergs. Die Rems entspringt am Nordrand der Schwäbischen Alb zwischen Aalen und Heubach, durchfließt Schwäbisch Gmünd, Lorch, Schorndorf und Waiblingen und mündet bei Neckarrems in den Neckar. An den Hängen des Remstals zum Schurwald und zum Schwäbisch-Fränkischen Wald, von Waiblingen bis in die Berglen nach Winnenden, ziehen sich die Weinberge. Dazwischen liegen die blühenden Obstgärten – in der Kirschblütenzeit eine wahre Pracht. Im Sommer dann, zur Kirschenernte, werden an fast jeder Straßenecke in Stetten, Kernen, Strümpfelbach oder Beutelsbach pralle rote Kirschen feilgeboten. In Schnait wurde der Volksliedrichter Friedrich Silcher (1789–1860) geboren, aus Schorndorf stammen Gottlieb Daimler (1834–1900) und der erste Ministerpräsident des Landes Baden-Württemberg, Reinhold Maier (1889–1971). Fachwerkhäuser sind die Schmuckstücke jeder Ortschaft.

Die „Stadt mit den drei Türmen", wie Eduard Mörike Waiblingen nannte – er meinte damit den Hochwachtturm, den Turm der Michaelskirche und das Beinsteiner Tor – ist heute eine aktive Kreisstadt des Rems-Murr-Kreises, Ausgangspunkt und Abschluß für Wanderungen ins Remstal und in den Schurwald, in die Berglen und in den Schwäbisch-Fränkischen Wald.

Eine Kostbarkeit staufischer Kunst ist in der ehemaligen Reichsstadt Schwäbisch Gmünd erhalten: die Johanniskirche aus dem frühen 13. Jahrhundert. Auf den Fassaden tummeln sich skurrile Phantasiewesen, Menschen und Tiere in Szenen aus Mythologie und Alltag. Über den ebenfalls romanischen Turm rast die wilde Jagd. Weitere Sehenswürdigkeiten der traditionsreichen Silberstadt sind das Heilig-Kreuz-Münster, die älteste gotische Hallenkirche Süddeutschlands, und die Silberfabrik Pauser, ein „Fabrikle" aus den Anfangsjahren des industriellen Zeitalters, das inzwischen Museum geworden ist.

Nördlich des Remstales steigen die Höhen zum Schwäbisch-Fränkischen Wald an. Das ausgedehnte Waldgebiet gliedert sich von Süden nach Norden in den Welzheimer, Murrhardter und Mainhardter Wald und in die Löwensteiner und Waldenburger Berge. Seltene Naturschutzgebiete wie der Entlesboden und die Viehweide erinnern an die Zeit, als noch Vieh im Wald weidete. Ortsnamen wie Spiegelberg, Neuhütten und Altfürstenhütte weisen darauf hin, daß hier einmal die Glasindustrie blühte. Quarzhaltiger Sandstein und jede Menge Holz waren vorhanden. Doch da das „Waldglas" aufgrund der Eisenverbindungen grünlich war, erlag die Glashüttenindustrie im Schwäbisch-Fränkischen Wald Ende des 18. Jahrhunderts der böhmischen Konkurrenz, die reineres, weißes Glas produzierte.

Am Fuß der Waldenburger Berge, im Kochertal, liegt die ehemalige Reichsstadt Schwäbisch Hall. Wirtschaftliche Grundlage der mittelalterlichen Stadt war die Salzsiederei, denn unter der Talsohle des Kochers befinden sich Salzflöze. Das Holz, das die Salzsieder in großen Mengen benötigten, wurde aus dem Schwäbisch-Fränkischen Wald über Kocher und seine Nebenflüsse herbeigeflößt. Das malerische Bild der an den Hang über dem Kocher erbauten Stadt mit alten Fachwerkhäusern, engen Gassen und Treppen hat sich erhalten. Auf dem Marktplatz reihen sich Bürgerhäuser aus Gotik, Renaissance und Barock zu Füßen der St. Michaelskirche. Eine mächtige Treppe, auf der traditionell die sommerlichen Freilichtspiele stattfinden, führt hinauf zur Kirche. Am Ende der Stufen wacht der Schutzheilige der Salzsieder, der Drachentöter und Erzengel Michael, eine Figur aus dem Jahr 1290, über die Geschicke der Stadt.

In der Nähe von Schwäbisch Hall ist ein vielbeachtetes Museumsdorf entstanden: das Hohenloher Freilandmuseum Wackershofen. Alle Bauten, die bis ins letzte Detail originalgetreu eingerichtet sind, stammen aus Dörfern in Hohenlohe und waren vom Abriß bedroht. Sorgsam hat man sie abgebaut und nach Wackershofen versetzt: große Bauernhöfe, bescheidene Seldner- und Taglöhnerhäuschen und einen Gasthof, den „Roten Ochsen" aus Schrozberg-Riedbach. Tiere – vom hällischen Schwein bis zur Ente im Dorfteich – werden ebenso gepflegt wie die bunten Bauerngärten mit ihrer eigentümlichen Mischung aus Zier- und Nutzpflanzen.

An besonderen Aktionstagen zeigen die Mitarbeiter des Museums alte Formen des Dorfhandwerks, der Viehhaltung und der Feldbestellung: Flachsbrechen und -verarbeiten, den Waschtag und den Schlachttag. Dem Freilandmuseum angeschlossen ist die Hammerschmiede in Gröningen, die seit 1804 besteht und in der die Arbeit des Schmieds in der Werkstatt vorgeführt wird.

Weite Landschaft, ausgedehnte Felder und Wiesen, unterbrochen von kleinen Wäldchen, prägen den Charakter der Hohenloher Ebene. Jagst, Kocher und Tauber haben hier tiefe Täler eingegraben. Schmucke Dörfer mit kleineren Bauernhöfen wechseln sich ab mit kleinen Residenzstädtchen. Stolz sind die Hohenloher auf ihre Burgen und Schlösser, die sich entlang von Jagst, Kocher und Tauber reihen. Aber auch die schlichten Dorfkirchen – etwa in Mistlau, Rückershagen oder Bächlingen – gehören in diese Landschaft.

Geradezu ideal sind die Höhen über den Flüssen zum Burgen- und Schlösserbau gewesen. Quer durch die Jahrhunderte sind alle kunstgeschichtlichen Epochen und Stile vertreten. Im oberen Kochertal ist die Nostalgie-Burg der Fugger in Niederalfingen zu bewundern, ein während der Renaissance entstandenes Bauwerk im hochmittelalterlichen Stil. Ein Schmuckstück ganz aus Fachwerk ist das Schenkenschloß in Gaildorf. Weiter kocherabwärts liegen Schloß Stetten, Künzelsau, Ingelfingen und, etwas abseits, Hermersberg. Auch das Jagsttal weist altes kulturelles Erbe auf. Ellwangen, die Residenz der Ellwanger Fürstpröpste, galt als eine der vornehmsten im Lande. Ihr Vorgänger war ein 764 gegründetes Benediktinerkloster, dessen St.-Veit-Basilika ein bedeutendes Bauwerk aus der Stauferzeit ist.

Das Haus Hohenlohe, ein altes fränkisches, inzwischen weit verzweigtes Geschlecht, gab der Landschaft den Namen. Viele Schlösser im Hohenloher Land waren oder sind noch immer im Besitz der Familie, darunter Waldenburg, Neuenstein, Öhringen und Pfedelbach am Fuß der Waldenburger Berge, sowie Schloß Kirchberg/Jagst und das Renaissanceschloß in Langenburg über dem Jagsttal.

Weiter jagstabwärts liegt die barocke Anlage des Klosters Schöntal und die „Götzenburg" Jagsthausen, die durch Götz von Berlichingen und Goethes gleichnamiges Schauspiel berühmt geworden ist. Die „eiserne Hand" des Götzen, die ihm als Ersatz für die im Kriegsdienst verlorene rechte Hand diente, ist im Familienmuseum in der Götzenburg ausgestellt. Im Schloßhof finden jedes Jahr die sommerlichen „Burgfestspiele Jagsthausen" statt.

Den Norden des Landes durchzieht das idyllische Taubertal. „Madonnenländchen" nennt man diesen Landstrich, denn Feld, Flur und Weinberge, Häuser, Hofmauern und Kirchen schmücken Madonnen und andere Heiligenfiguren aus dem 17. und 18. Jahrhundert. Der Schnitzaltar des Würzburger Meisters Tilman Riemenschneider in Creglingen und die „Stuppacher Madonna", ein Gemälde von Mathis Nithart, genannt Meister Grünewald, sind weltberühmt. Bad Mergentheim, ehemals Residenz des Deutschen Ordens, ist wegen seiner Bitterquelle ein seit dem 19. Jahrhundert berühmt gewordenes Heilbad. Das weiträumige Schloß des Ritterordens birgt ein Museum, das über die Geschichte des Ordens Auskunft gibt. An der Grenze zum Odenwald liegt der berühmte Wallfahrtsort Walldürn. Das „Blutwunder" – im Jahr 1330 hatte ein Priester Meßwein verschüttet, worauf der Fleck die Gestalt Jesu annahm – zog viele Gläubige an. Die barocke Wallfahrtskirche wird heute von Augustiner-Eremiten betreut.

Hohenlohisches Dorf: Lendsiedel

Die doppelseitige Marienfigur des Brunnens auf dem SCHWÄBISCH GMÜNDER Marktplatz wendet sich nach zwei Seiten: zum barocken Rathaus der traditionellen Silberstadt und zum Amtshaus des Heilig-Geist-Spitals, einem spätgotischen Fachwerkbau.

The double-sided statue of Holy Mary on the market place fountain in Schwäbisch Gmünd, traditionally a silversmith's town, is facing two different directions: Towards the Baroque Town Hall, and towards the administrative buildings of the Holy Ghost Infirmary, a late Gothic half-timbered building.

La statue de la vierge à deux faces de la fontaine ornant la place du marché de Schwäbisch Gmünd se tourne de deux côtés: vers l'hôtel de ville baroque de la cité traditionnelle des orfèvres et vers les bureaux du Heilig-Geist-Spital, un bâtiment gothique à colombage.

Die Heinlesmühle im Tal der Schwarzen Rot, ein stolzes Fachwerkgebäude, zu dem sich der Mühlkanal hinschlängelt, ist eines der Schmuckstücke des Schwäbisch-Fränkischen Waldes. Sie war Mahl- und Sägemühle.

The Heinlesmühle, once a grist and saw mill in the Schwarze Rot Valley, is a fine half-timbered building considered one of the most attractive spots in the Swabian Frankish Forest.

Le «Heinlesmühle», fier moulin à colombage dans la vallée de la Schwarze Rot vers lequel serpente le chenal est l'un des bijoux de la Forêt souabe et franconienne. C'était à la fois une minoterie et une scierie.

Vom Friedhof neben der Murrhardter Walterichskirche (rechts) geht der Blick hinunter auf das ehemalige Benediktinerkloster, an dessen Kirche die berühmte romanische Walterichskapelle angebaut ist.

The graveyard next to the Walterichskirche (right) in Murrhardt looks down onto the former Benedictine monastery. Next to the monastery church is the famous Romanesque Walterichskapelle.

Du cimetière à côté de l'église Walterich de Murrhardt (à droite), le regard descend vers l'ancien monastère de Bénédictins; la célèbre chapelle romane de Walterich fait suite à l'église.

In einer schnurgeraden Linie trennte in der Römerzeit der obergermanische Limes (oben) den Schwäbisch-Fränkischen Wald. Wie hier in Lorch sind an vielen Stellen auf vorhandenen Fundamenten römische Wachtürme rekonstruiert worden.

In Roman times, the upper Germanian Limes (above) cut a straight dividing line through the Swabian Frankish forest. In many places, Roman watchtowers have been reconstructed on the existing foundations, as here in Lorch.

A l'époque romaine, une ligne droite séparait le limes de Haute-Germanie (en haut) de la Forêt souabe et franconienne. Comme à Lorch, de nombreuses tours de guet romaines ont été reconstituées sur leurs fondements.

Im Garten des im Freilandmuseum wiederaufgebauten Weidnerhofs steht eine alte Gartenlaube (oben). Blumen, Gemüse und Kräuter bilden eine bunte Mischung.

In the garden of the Weidnerhof farm reconstructed in the open-air museum is an old bower (above), forming a background to the colourful mixture of flowers, vegetables and herbs.

La ferme de Weidner reconstruite dans le musée en plein air comporte une vieille tonnelle (en haut). Les fleurs, les légumes et les simples forment un mélange haut en couleurs.

KIRCHBERG, auf einem Bergsporn steil über der Jagst gelegen, war 300 Jahre lang Residenz der Fürsten Hohenlohe-Kirchberg. Behäbige Bürgerhäuser bewahren den Charakter des ruhigen, alten Residenzstädtchens.

Kirchberg, situated on the spur of the mountain directly above the Jagst, was the home of the Princes of Hohenlohe-Kirchberg for 300 years. The character of the peaceful old town is preserved by the comfortable houses of the well-to-do.

Kirchberg où résidèrent pendant 300 ans les princes de Hohenlohe-Kirchberg est bâti sur un promontoire montagneux qui surplombe la Jagst. Ses maisons bourgeoises opulentes lui conservent sa physionomie d'ancienne et calme petite ville de résidence princière.

Die Hauptstraße von LANGENBURG, gesäumt von alten Häusern und mächtigen Bäumen, führt durch das Städtchen direkt auf das Schloß zu, der Residenz der Fürsten von Hohenlohe-Langenburg. Fürst Kraft ist Neffe von Prinz Philip, dem Herzog von Edinburgh und Gatten der englischen Königin Elizabeth II.

The main road through Langenburg, lined by old houses and impressive trees, leads straight to the castle, the residence of the Princes of Hohenlohe-Langenburg. Prince Kraft is nephew to Prince Philip, the Duke of Edinburgh.

La rue principale qui traverse Langenburg est bordée de maisons anciennes et de grands arbres; elle mène directement au château où réside le prince de Hohenlohe-Langenburg. Le prince Kraft est un neveu du prince Philippe, duc d'Edimbourg et époux de la reine d'Angleterre Elisabeth II.

Das mit der Säkularisation aufgelöste Zisterzienserkloster SCHÖNTAL bietet das selten gewordene Bild einer geschlossenen Klosteranlage. Kostbarkeiten sind die Torkapelle (1310/20), die barocke Klosterkirche und die Neue Abtei mit ihrem weitschwingenden, barocken Treppenhaus.

The Cistercian monastery of Schöntal, which was dissolved during the period of secularization, offers a now rare example of a closed monastery building. Its most impressive features are the Torkapelle (1310/20), the Baroque monastery church and the new abbey with its sweeping, Baroque staircase.

Dissout au moment de la sécularisation, le monastère de Cisterciens de Schöntal offre la physionomie devenue rare de bâtiments conventuels groupés. La chapelle de la Porte (1310/20), l'église baroque et la nouvelle abbaye avec la ligne hardie de son escalier baroque sont de véritables bijoux.

Eine Oase der Stille ist das TAUBERTAL. Hier gibt es viele kleine Schätze am Wegesrand zu entdecken. Die Tauberbrücke zwischen Werbach und Hochhausen schmückt der Brückenheilige Nepomuk.

The Tauber Valley offers a peaceful oasis, and a wealth of small treasures on the wayside. The Tauber bridge between Werbach and Hochhausen is watched over by its own saint, Nepomuk.

La vallée de la Tauber est une oasis de paix. On peut découvrir au bord des chemins beaucoup de trésors cachés. Le pont sur la Tauber entre Werbach et Hochhausen est orné d'une statue de Nepomuk, son saint protecteur.

Ein Kleinod für den Kunstfreund ist der Altar in der CREGLINGER Herrgottskirche. Der Würzburger Meister Tilman Riemenschneider schnitzte ihn um das Jahr 1505. Da Teile der Rückwand durch Maßwerkfenster geöffnet sind, fällt das Licht von allen Seiten auf die meisterhaften Figuren.

The altar of the Church of our Lord in Creglingen is a jewel to the art lover. It was carved by the master craftsman Tilman Riemenschneider from Würzburg in 1505. As parts of the back wall are opened by tracery windows, light falls onto the masterly figures from all sides.

L'autel de l'église «Herrgottskirche» de Creglingen est un véritable joyau pour l'amateur d'art. Tilman Riemenschneider, le maître de Würzburg l'a sculpté vers 1505. L'arrière étant percé de fenêtres à remplage, la lumière tombe de tous côtés sur les extraordinaires statues.

Unter Graf Karl Ludwig (1674–1756) wurden Schloß Weikersheim, der Stammsitz des Hauses Hohenlohe, der Schloßpark, ja selbst die Stadt und die umgebende Landschaft zum barocken Gesamtkunstwerk umgestaltet. Kunstgeschichtlich einmalig ist die Gnomengalerie im Schloßpark.

Under Count Karl Ludwig (1674–1756), Weikersheim Castle, the ancestral seat of the Hohenlohe family, the castle grounds, and even the town and the surrounding landscape were redesigned to become an integral Baroque work of art. The gnomes' gallery in the castle grounds is unique in the history of art.

Sous le comte Karl Ludwig (1674–1756), le château de Weikersheim devint la résidence de la maison de Hohenlohe et le parc du château, et même la ville et le paysage avoisinant, furent transformés en oeuvre d'art baroque complète. La galerie des Gnomes du parc du château est unique dans l'histoire de l'art.

Burgenromantik in Hohenlohe

Romantic Castle Scenery in Hohenlohe · Châteaux-forts romantiques du Hohenlohe

Zwischen Tauber-, Jagst- und Kochertal reihen sich Ruinen, Burgen und Schlösser: Schloß Morstein bei Langenburg (oben), die Ruine der Stauferburg Leofels (rechts oben) und das Schloß des Deutschen Ritterordens in Bad Mergentheim (rechts).

The hills between the Tauber, Jagst and Kocher Valleys are rich in ruins, castles and fortresses: Schloß Morstein near Langenburg (above), the ruins of the Staufer castle of Leofels (top right) and the castle of the Knights of the Teutonic Order in Bad Mergentheim (right).

Les ruines, les châteaux forts et les châteaux se succèdent entre les vallées de la Tauber, de la Jagst et de la Kocher: le château de Morstein près de Langenburg (en haut), la ruine de Leofels qui appartint aux Hohenstaufen et le château de l'ordre Teutonique à Bad Mergentheim (à droite).

Prachtstück des Weikersheimer Schlosses ist der Rittersaal aus dem späten 16. Jahrhundert (oben). Die kunstvolle Kassettendecke ist am Dachstuhl aufgehängt. Die Themen der Gemälde und des plastischen Schmucks an den Wänden beziehen sich auf die Jagd. Schloß Neuenstein (unten) ist ein Wasserschloß.

The late 16th-century Knight's Hall is the showpiece of the Weikersheimer Schloß (top). The splendid coffered ceiling is suspended from the roof framework. The wall decorations and paintings are centred on the hunting theme. Neuenstein is a moated castle (bottom).

La salle des chevaliers du château de Weikersheim qui date de la fin du XVIème siècle est superbe (en haut). Le plafond à caissons est suspendu à la charpente avec une grande ingéniosité. Les sujets des tableaux et des ornements en relief des murs se rapportent à la chasse. Le château de Neuenstein est entouré d'eau (en bas).

Unter dem Schutz der mächtigen Burg – ihre ältesten Teile stammen aus dem 12. Jahrhundert – entwickelte sich das zwischen Tauber und Main gelegene Städtchen WERTHEIM. Die Burgruine ist eine der größten und interessantesten in Süddeutschland.

The little town of Wertheim grew up between the rivers Tauber and Main under the protection of the mighty fortress. The oldest part of the fortress dates back to the 12th century, and its ruins are among the largest and most interesting in Southern Germany.

Située entre le Main et la Tauber, la petite ville de Wertheim s'est développée sous la protection de son imposant château-fort dont certaines parties datent du XIIème siècle. Les ruines de ce château-fort comptent parmi les plus importantes et les plus intéressantes du sud de l'Allemagne.

Am Rand des Odenwalds liegt das Städtchen Mosbach, das seinen Ruhm den Fachwerkhäusern aus dem 16. und 17. Jahrhundert verdankt. Eines der prachtvollsten Häuser des deutschen Sprachraumes ist das Palmsche Haus, das im Jahr 1610 im fränkischen Stil erbaut wurde.

Mosbach, a little town famous for its half-timbered houses dating back to the 16th and 17th centuries, lies on the edge of the Odenwald. The Palmsche Haus, built on the Frankish model in the year 1610, is one of the most splendid examples in the whole of the German-speaking world.

La petite ville de Mosbach, située au bord de l'Odenwald, doit sa réputation à ses maisons à colombage des XVIème et XVIIème siècles. Construite en 1610 en style franconien, la «Palmsche Haus» est l'une des plus belles maisons de tous les pays de langue allemande.

Die Rheinebene

Vor Millionen von Jahren bildeten Schwarzwald, Odenwald, Vogesen und der Pfälzer Wald ein zusammenhängendes Gebirge. Der Rheingraben von 300 Kilometern Länge und 30 bis 50 Kilometern Breite brach erst später, im Tertiär, ein. Hier schlängelten sich der Rhein, seine Nebenarme und Nebenflüsse. Zur breiten Wasserstraße wurde der Rhein erst im 19. Jahrhundert, als der badische Ingenieur Johann Gottfried Tulla (1770–1828) Pläne zu seiner Begradigung entwarf, die bis in unser Jahrhundert hinein verwirklicht wurden. Bis auf wenige Ausnahmen, wie die Rheinauen bei Rastatt und der Taubergießen bei Freiburg, ist die ursprüngliche Landschaft der Rheinaue mit ihren Sumpf- und Feuchtgebieten verschwunden. Die weite Oberrheinische Tiefebene ist seither mit Obstplantagen, Spargel- und Getreidefeldern bedeckt.

Mannheim ist verhältnismäßig jung. Den Grundstein von Stadt und Festung legte Kurfürst Friedrich IV. von der Pfalz im Jahr 1606. Die eigentliche Glanzzeit der Stadt war von 1720 bis 1778, als Mannheim Kurfürstliche Residenz war. Unter Kurfürst Carl Theodor von der Pfalz, der von 1743 bis 1778 hier lebte, wurde das Schloß erbaut. Seine Hofhaltung hatte europäischen Zuschnitt. Der kunstliebende Regent, der 35 Millionen Gulden in das Kulturleben seiner Residenz investierte, förderte auch die Musik. Er verpflichtete den böhmischen Musiker Johann Stamitz, der den Ruhm der Mannheimer Schule begründete. Ein Orchester von 32 Streichern und Holzbläsern in doppelter Besetzung ermöglichte unter Stamitz' Leitung wesentliche Neuerungen der Orchesterkultur. Dazu zählte die „Gleichheit im Bogenstrich" und das „Mannheimer Creszendo", die Übertragung dynamischer Steigerungen auf eine geschlossene Musikergruppe. Die Mannheimer Schule zog auch den jungen Komponisten und Musiker W. A. Mozart an, der 1777/78 zu mehreren Besuchen in Mannheim weilte.

Als im Jahr 1778 die bayrische Krone an Carl Theodor fiel, übersiedelten viele Orchestermusiker mit ihm nach München. Dem Kurfürsten Carl Theodor verdankt die Stadt auch ihren eigenwilligen Grundriß. Die Innenstadt ist in Quadrate aufgeteilt, die mit Nummern und Buchstaben bezeichnet sind.

Wo das Neckartal sich in die Rheinebene öffnet, liegt Heidelberg, Sitz der ältesten Universität in Deutschland. Heidelberg ist eng verflochten mit der deutschen Romantik. Hier studierten der Dichter Gottfried Keller und der Musiker Robert Schumann, hier lebten Joseph von Eichendorff, Achim von Arnim, Clemens Brentano mit seiner ebenfalls schriftstellernden Gattin Sophie Mereau, hier hielt Joseph Görres im Jahr 1806 die erste germanistische Vorlesung an einer deutschen Universität. Von den 130 000 Einwohnern der Stadt ist heute jeder fünfte ein Student.

Schwetzingen, die ehemalige Sommerresidenz der Pfälzer Kurfürsten, ist international bekannt durch den Schwetzinger Spargel, den Kurfürst Carl Theodor erstmals anpflanzen ließ. Der Schwetzinger Schloßgarten ist Deutschlands größte Gartenanlage der Barock- und Rokokozeit. Im Halbkreis vom kurfürstlichen Schloß umrahmt, bietet er eine Vielfalt an künstlerischen Kleinodien. Dazu gehören die gepflegten Pflanzenrabatten, buchsbaumumrundet, mit der eigentümlichen emailleartigen Farbwirkung der einzelnen Blüten. Tempelbauten, Grotten und sogar eine Moschee ergänzen die reiche Palette des barocken Schloßgartens.

Karlsruhe, einst Residenzstadt der Markgrafen von Baden, hatte sich im 19. Jahrhundert zum Zentrum einer blühenden Maschinenindustrie entwickelt. Schon 1825 entstand hier eine Technische Hochschule. Karlsruhe ist heute Dienst- und Verwaltungsmetropole und der Standort von „Denkfabriken", der Technischen Universität, des Kernforschungszentrums und anderer Forschungszentren. Die beiden höchsten Gerichte der Bundesrepublik, das Bundesverfassungsgericht und der Bundesgerichtshof, haben hier ihren Sitz. An der Kunstakademie wirkten die Maler Hans Thoma und Wilhelm Trübner.

Pforzheim war bis Mitte des 16. Jahrhunderts Residenz der Markgrafen von Baden. Doch erst mit der Gründung der Manufaktur zur Herstellung von Uhren und Bijouterie im Jahr 1767 wurde die Stadt an Enz, Nagold und Würm zur international bekannten Goldstadt. Der Tradition der Goldstadt verpflichtet sind das Schmuckmuseum im Reuchlinhaus und das Technische Museum der Schmuck- und Uhrenindustrie.

Die heilkräftige Wirkung der Baden-Badener Thermalquellen hat schon der römische Kaiser Caracalla geschätzt, der hier im Jahr 213 Heilung suchte. Mit Unterbrechungen durch Not und Kriege ist Baden-Baden seit dem Spätmittelalter ein vielbesuchter Kurort gewesen. Heute sind die Caracalla-Thermen, ein Badepalast im antiken Stil, eine der Attraktionen der Stadt.

Südöstlich von Baden-Baden, umschlossen von einer Schleife der Oos, steht das ehemalige Zisterzienserinnenkloster Lichtental, eine als Ganzes erhaltene Klosteranlage aus dem 18. Jahrhundert mit einer Kirche aus dem 13. und 14. Jahrhundert. Die Legende berichtet, daß Lichtentaler Nonnen aus ihrem Mutterhaus Citeaux bei Beaune in der Bourgogne den Pinot Noir, die Burgunderrebe also, mitbrachten und an den sonnigen Hängen zwischen Baden-Baden und Offenburg ansiedelten. So gedeiht heute hier ein Spätburgunder Rotwein, der sich auch mit internationalen Größen messen kann.

Zwischen Baden-Baden und Freiburg liegt die Ortenau, eines der badischen Weinzentren, in der sich schmucke Weindörfer und -städte aneinanderreihen. Der Riesling der Ortenau heißt Klingelberger, den Traminer nennt man hier Clevner. Bei Bühl finden sich zwischen den Weinbergen Obstplantagen mit den berühmten Bühler Zwetschgen.

Die Reben des Ruländer, des Grauen Burgunder, schätzen die Böden und die vulkanisch geprägten Lagen rings um den Kaiserstuhl. Ebenfalls hohe Ansprüche an Lage und Boden stellt der Weiße Burgunder. Ideal für ihn sind die Bedingungen am Kaiserstuhl-Tuniberg und im Breisgau, der Landschaft zwischen Emmendingen und Müllheim. Ein historischer Dampfzug, der Rebbummler, zockelt an Sommersonntagen von Riegel nach Breisach, vorbei an den sonnigen Weinterrassen des Kaiserstuhls.

In der Breisgauer Bucht, genau auf dem 48. Grad nördlicher Breite liegt Freiburg, die südlichste deutsche Großstadt. 116 Meter hoch ist der vielgerühmte Turm des Freiburger Münsters. Der zwischen 1200 und 1513 erstellte Kirchenbau wird umgeben vom Münsterplatz, der seit der Wende vom 18. zum 19. Jahrhundert als Marktplatz dient. Das Markgräflerland, die Landschaft im Süden Freiburgs, war schon immer Ziel für Erholungssuchende. Die Heilquellen des Markgräflerlandes, zumal in Badenweiler, wußten bereits die Römer zu nutzen. Badenweiler und Bad Krozingen gehören zu den berühmten Kurorten der Region.

Breisach am Rhein

The Rhine Plain

Millions of years ago, the Black Forest, the Odenwald, the Vosges Mountains and the Palatinate Forest formed a continuous mountain range. The Rhine rift valley, 300 kilometers long and between 30 and 50 kilometers wide, was not formed until the tertiary period. The Rhine and its tributaries twined here, the Rhine only becoming the wide waterway we know today in the 19th century, when Johann Gottfried Tulla (1770–1828), an engineer from Baden, drew up plans to straighten the river. These were still being executed right up until this century. With the exception of the Rheinauen area near Rastatt and the Taubergießen near Freiburg, the original marshy mead landscape around the Rhine has largely given way in the Upper Rhine Plain to orchards, asparagus and cereal fields.

Karlsruhe, formerly the seat of the Margraves of Baden, is now the home of the Federal Constitutional Court and the Federal Court of Justice, the highest courts in the Federal Republic. The healing powers of the thermal springs at Baden-Baden were praised as long ago as 213 A.D., by the Roman Emperor Caracalla. Ever since the late Middle Ages, Baden-Baden has been a popular spa – with interruptions in times of war or hardship.

The Ortenau region, an attractive Baden winegrowing centre ornamented by picturesque villages and towns, lies between Baden-Baden and Freiburg. The Ortenau Riesling is called Klingelberger, the Traminer goes by the name of Clevner. The Ruländer vines which produce the "Grauer Burgunder" thrive on the volcanic soil surrounding the Kaiserstuhl area, while the conditions in the Kaiserstuhl-Tuniberg and Breisgau regions are ideal for cultivation of the "Weißer Burgunder".

Freiburg, the southern-most city in Germany, lies in the Breisgau basin exactly on the 48th line of latitude. The Markgräflerland to the south of Freiburg has always been a popular recreational area, and its thermal springs have been in use since their discovery by the Romans. Badenweiler and Bad Krozingen are two of the most celebrated spas of the area.

La plaine du Rhin

Voilà des millions d'années, la Forêt-Noire, l'Odenwald, les Vosges et le Pfälzer Wald formaient une seule chaîne de montagnes. Le fossé du Rhin, long de 300 kilomètres et large de 30 à 50 kilomètres, ne se forma qu'ultérieurement à l'époque tertiaire. Le Rhin, ses bras et ses affluents y serpentaient. Ce n'est qu'au XIXème siècle que le Rhin fut transformé en large voie navigable par l'ingénieur du Bade Johann Gottfried Tulla (1770–1828) qui conçut les plans de sa rectification achevée seulement au XXème siècle. Quelques exceptions – les « Rheinauen » de Rastatt et le « Taubergießen » de Fribourg – mises à part, le paysage original de prairies marécageuses bordant le Rhin a disparu. La plaine du haut Rhin est recouverte depuis longtemps de vergers et de champs de céréales ou d'asperges.

Jadis, le margrave de Bade résidait à Karlsruhe, qui est actuellement le siège des deux cours suprêmes de la République Fédérale d'Allemagne: le tribunal constitutionnel et la cour de cassation. L'empereur romain Caracalla appréciait déjà les vertus curatives des sources thermales de Bade-Baden: il y fit une cure en 213. Malgré quelques interruptions causées par la misère et les guerres, Baden-Baden est depuis le Moyen-Age une station thermale très fréquentée.

L'Ortenau est situé entre Baden-Baden et Fribourg; c'est l'un des centres du vignoble du Pays de Bade dans lequel villes et villages coquets se succèdent. Dans l'Ortenau, le riesling est appelé Klingelberger et le traminer porte le nom de Clevner. Le ruländer et le bourgogne gris apprécient les sols et les expositions d'un paysage volcanique tout autour du Kaiserstuhl. Les conditions sont idéales pour le bourgogne blanc dans le Kaiserstuhl-Tuniberg et dans le Brisgau.

Fribourg, dans la « Breisgauer Bucht », se trouve exactement sur le 48ème degré de latitude nord; c'est la plus méridionale des grandes villes allemandes. Le paysage au sud de Fribourg qu'on appelle le Markgräfler Land a toujours été un but de villégiature. Les Romains avait déjà appris à profiter de ses sources thermales. Badenweiler et Bad Krozingen comptent parmi les villes d'eau les plus réputées de la région.

Das Weinheimer Schloß, in dem sich heute das Rathaus befindet, ist aus drei Schlössern zusammengewachsen: dem mehrfach umgebauten Pfalzgrafenschloß, das im Süden das Obertor mit einbezieht, dem Lehrbachschen Herrschaftshaus und dem Berckheimschen Schloß mit seinem neugotischen Turm.

The Weinheimer Schloß, which today houses the Town Hall, grew up out of three different castles: The Pfalzgrafenschloß, which was converted several times, and includes the Obertor, or "Upper Gate", to the south, the Lehrbachsches Herrschaftshaus and Berckheim Castle with its Neo-Gothic tower.

Le château de Weinheim qui abrite maintenant l'hôtel de ville est composé de trois châteaux: le château modifié à plusieurs reprises des comtes palatins qui comporte la porte Obertor, l'hôtel de Lehrbach et le château Berckheim avec sa tour néogothique.

Der älteste erhaltene Bau der Kurfürstenzeit in Mannheim steht am Marktplatz. An den Turm in der Mitte schließen sich symmetrisch rechts die Kirche und links das Rathaus an. Nur die Gestaltung des Figurenschmucks und der Fenster verraten nach außen die Bestimmung der Gebäude.

The oldest preserved building from the Electoral Period in Mannheim can be found in the market place. The tower in the middle adjoins symmetrically onto the church on the right and the Town Hall on the left. Only the figures ornamenting the building and the windows give any clue to the outside as to its function.

A Mannheim, le plus ancien monument datant de l'époque des princes électeurs se trouve sur la place du marché. L'église, à droite, et l'hôtel de ville, à gauche, font suite symétriquement à la tour centrale. Seule l'aspect des statues et des fenêtres révèle à l'extérieur la destination de ce bâtiment.

In der Parkanlage um den Mannheimer Wasserturm (erbaut 1889) hinterließen die Baumeister des Jugendstils ihre Visitenkarte (rechts).

The builders of the Art Nouveau movement left their distinctive mark on the parkland around the Mannheim water tower, built in 1889 (right).

Des architectes du modern-style ont signé le parc du château d'eau de Mannheim construit en 1889 (à droite).

Die Diffené-Brücke am Mannheimer Industriehafen ist eine Waagebalken-Konstruktion, die bei Hochwasser angehoben werden kann (links).

The Diffené Bridge in the industrial port of Mannheim is constructed according to the balance arm principle, and can be raised at high water (left).

Le pont Diffené dans le port industriel de Mannheim est une construction à fléau pouvant se soulever en cas d'inondations (à gauche).

Fünf Jahrhunderte lang war Heidelberg die glanzvolle Residenz der Kurpfalz. Die Alte Brücke über den Neckar stammt aus dem 18. Jahrhundert (links). Ende des 17. Jahrhunderts zerstörten die angreifenden Franzosen das Heidelberger Schloß (oben). Ludwig XIV. führte Krieg um das Erbe seiner Schwägerin, Liselotte von der Pfalz, Gattin seines Bruders Philipp von Orléans.

Heidelberg was the magnificent residence of the Palatinate Electorate for five hundred years. The Alte Brücke spanning the River Neckar dates back to the 18th century (left). At the end of the 17th century, the French stormed and destroyed Heidelberg Castle (top) in the war waged by Louis XIV for the inheritance of his sister-in-law Liselotte von der Pfalz, wife of his brother Philippe d'Orléans.

Pendant cinq siècles, Heidelberg fut la résidence brillante des Electeurs palatins. L'ancien pont sur le Neckar date du XVIIIème siècle (à gauche). A la fin du XVIIème siècle, les troupes françaises attaquèrent Heidelberg et détruisirent le château (en haut). Louis XIV revendiquait l'héritage de sa belle soeur, la princesse palatine, épouse de son frère Philippe d'Orléans.

Motorräder, Tourenwagen und Rennwagen der Formel 1: Weltklassefahrer liefern sich auf dem Hockenheimring spannende Rennen.

Motorcycling, saloon car and formula 1 racing: The Hockenheim Ring hosts top class drivers from around the world.

Les motos, les voitures de tourisme et les voitures de formule I se livrent à des courses palpitantes sur le circuit de Hockenheim.

Wie Sonnenstrahlen laufen Straßen und Alleen zum Mittelpunkt der Stadt Karlsruhe, dem barocken Schloß. Hier ist das badische Landesmuseum untergebracht.

The streets and avenues of Karlsruhe radiate out from the town's focal centre, the Baroque castle, which today accommodates the Baden State Museum.

A la façon de rayons de soleil, les rues et les avenues se dirigent vers le château baroque qui forme le cœur de la ville de Karlsruhe et qui abrite de nos jours le musée régional.

Residenzen im Rheintal

Residences in the Rhine Valley · Résidences princières dans la vallée du Rhin

Kurfürst Carl Philipp von der Pfalz ließ das Mannheimer Schloß mit dem Rittersaal erbauen (unten rechts), Fürstbischof Damian Hugo von Schönborn das Bruchsaler Schloß (unten links) und der „Türkenlouis", Markgraf Ludwig Wilhelm von Baden, das Schloß in Rastatt (oben rechts).

Elector Carl Philipp von der Pfalz built Mannheim Castle with its Knight's Hall (bottom right), Prince Bishop Damian Hugo von Schönborn the Castle at Bruchsal (bottom left), and "Turkish Louis", Margrave Ludwig Wilhelm von Baden, the castle in Rastatt (top right).

L'Electeur palatin Charles Philippe construisit le château de Mannheim avec sa salle des chevaliers (en bas à droite); le prince-évêque Damian Hugo von Schönborn édifia le château de Bruchsal (en bas à gauche) et le margrave Louis Guillaume de Bade surnommé «Louis le Turc» le château de Rastatt (en haut à droite).

Der Schwetzinger Schloßpark ist eine der berühmtesten barocken Gartenanlagen Europas (oben). Das Karlsruher Schloß wurde unter Markgraf Karl Wilhelm von Baden-Durlach begonnen (links).

The Schwetzingen Schloßpark is one of the most famous Baroque castle grounds in Europe (top). The castle in Karlsruhe was started under Margrave Karl Wilhelm von Baden-Durlach (left).

Le parc du château de Schwetzingen possède l'un des parcs baroques les plus célèbres d'Europe (en haut). Le château de Karlsruhe fut commencé sous le margrave Charles Guillaume de Bade-Durlach (à gauche).

*A*us einem Kranz von Fachwerkhäusern hebt sich die Fassade der Stadtkirche von ETTLINGEN heraus. Bauherrin dieser barocken Kirche war Markgräfin Sibylla Augusta, deren Name auf der Inschrift über dem schmucken Allianzwappen von Baden-Baden und Sachsen-Lauenburg zu lesen ist.

The facade of the church in Ettlingen stands out from a circle of half-timbered houses. The Marchioness Sibylla Augusta, whose name appears on the inscription above the elaborate coat of arms celebrating the alliance between Baden-Baden and Saxony-Lauenburg, had the church built.

La façade de l'église d'Ettlingen se détache sur une couronne de maisons à colombage. C'est la margrave Sybilla Augusta qui construisit cette église. Son nom se trouve inscrit au-dessus des élégants blasons unis de Baden-Baden et de Sachsen-Lauenburg.

Das 1147 gegründete Zisterzienserkloster MAULBRONN – hier die Brunnenkapelle – wurde nach der Reformation geschlossen. Ein evangelisches Seminar, das Friedrich Hölderlin, Johannes Kepler und Hermann Hesse besuchten, zog anschließend dort ein.

The Cistercian Monastery in Maulbronn, founded in 1147, was closed after the Reformation. A protestant seminary, attended by Friedrich Hölderlin, Johannes Kepler and Hermann Hesse, then used the building. The picture shows the Brunnenkapelle.

Fondé en 1147, le monastère de Cisterciens de Maulbronn dont on voit ici la chapelle «Brunnenkapelle» fut fermé à la Réforme. Un séminaire protestant dont furent élèves Friedrich Hölderlin, Johannes Kepler et Hermann Hesse, finit par s'y installer.

Die Hügellandschaft des Kraichgau, zwischen Rhein und Neckar, zwischen Odenwald und Schwarzwald gelegen, lädt ein zum Wandern und Radfahren. KÜRNBACH ist ein typisches Dorf im Kraichgau, das sein traditionelles Erscheinungsbild wieder hervorgekehrt hat.

The hilly landscape of the Kraichgau, lying between the Rhine and the Neckar, between the Odenwald and the Black Forest, is particularly inviting to cyclists and hikers. Kürnbach is a typical village of the Kraichgau area, which has preserved its traditional appearance.

Le paysage vallonné du Kraichgau, situé entre le Rhin et le Neckar et entre l'Odenwald et la Forêt-Noire, invite aux promenades à pied et à bicyclette. Kürnbach est un village typique du Kraichgau qui a su faire renaître son aspect traditionnel.

Thermalquellen haben die Kurstadt BADEN-BADEN berühmt gemacht. Das Friedrichsbad, vor der Stadtkirche (unten), ist ein Relikt der „Belle Epoque“. In der Spielbank des Kurhauses (oben) spielten schon Reichskanzler Bismarck und der Schriftsteller Dostojewski Roulette.

The thermal springs at Baden-Baden have made the town a popular spa. The Friedrichsbad in front of the main church (below) is a remnant from the "Belle Epoque". Among the famous names to have cast their stakes at the Kurhaus casino roulette table are Chancellor Bismarck and the author Dostoevski (above).

Les sources thermales ont fait la célébrité de la ville d'eau de Baden-Baden. La piscine de Friedrichsbad devant l'église (en bas) est une relique de la Belle-Epoque. Le chancelier Bismarck et l'écrivain Dostoïevski jouèrent à la roulette dans son casino (en haut).

Begegnungen zwischen Menschen und schnellen Pferden sind die Galopprennen in Iffezheim. Zu Volksfest und spannendem Wettspiel, umgeben von elegantem Flair, finden sich jedes Jahr über 150 000 Besucher ein, zum Frühjahrsmeeting Ende Mai oder zur Großen Woche Ende August.

The famous races in Iffezheim are held at the end of May and again at the end of August. Over 150,000 visitors flock every year to the fashionable race meetings and the fairground.

Les courses d'Iffezheim sont un lieu de rencontre des personnalités et des chevaux les plus rapides. Plus de 150.000 visiteurs s'y rendent à la fin du mois de mai pour la Rencontre de printemps ou à la fin du mois d'août pour la Grande Semaine pour assister à ce qui est à la fois une fête populaire, une occasion palpitante de paris et une manifestation élégante.

Das FREIBURGER Münster (links) birgt eine Fülle von Kunstwerken, darunter Fenster aus dem frühen 14. Jahrhundert, die zu den Höhepunkten mittelalterlicher Glaskunst zählen. Der Fischbrunnen auf dem nördlichen Münsterplatz (rechts oben), 1970 wiederaufgerichtet, stammt aus dem 15. Jahrhundert.

The cathedral in Freiburg (left) is rich in works of art, including windows dating back to the 14th century which are outstanding examples of medieval glasswork. The Fischbrunnen on the northern Münsterplatz (top right), restored in 1970, was originally built in the 15th century.

La cathédrale de Fribourg (à gauche) recèle une foule de trésors: des vitraux du début du XIVème siècle qui comptent parmi les chefs-d'oeuvre des maîtres-verriers du Moyen-Age. La fontaine aux Poissons au nord de la place de la cathédrale (en haut à droite) date du XVème siècle; elle a été remise en place en 1970.

Wegen ihrer strategisch wichtigen Lage ist BREISACH (unten), die Grenzstadt am Rhein im Südwesten des Landes, oft umkämpft und zerstört worden. Die Stadt siedelte sich zu Füßen des St. Stephansmünsters an.

Due to its strategically important position, Breisach (below), the border town on the Rhine in the south-west corner of the State, has suffered considerable damage under attack. The town grew up around the feet of St. Stephan's Cathedral.

A cause de son emplacement stratégique, Breisach (en bas), ville frontière sur le Rhin au sud-ouest du land, a souvent été le lieu de combats et a été détruite à plusieurs reprises. La ville s'est établie au pied de la cathédrale St-Etienne.

Der Schwarzwald

Der Schwarzwald, das höchste Mittelgebirge Südwestdeutschlands, ist eine bei Erholungssuchenden beliebte Landschaft. Das gesunde Klima und die weiten Tannenwälder machen ihn zur „grünen Apotheke“ des Landes. Charakteristisch für den Norden des Schwarzwaldes sind seine langgestreckten Höhenzüge. Der höchste, im Westen gelegenen Höhenzug verläuft von der Badener Höhe (1002 Meter) über den Hohen Ochsenkopf, die Hornisgrinde mit dem verträumten Mummelsee, über den Schliffkopf und Kniebis bis Freudenstadt. Der Große Hundskopf und der Brandenkopf schließen ihn dem Kinzigtal zu ab. Dazwischen liegen weite Hochflächen, in die die Flüsse lange und tiefe Täler gegraben haben. Eingebettet zwischen Wald, Wiesen, Fels und Fluß reihen sich hier berühmte Heilbäder mit Thermal- und Mineralquellen aneinander.

Die Wildbader Heilquellen, die Akratothermen, entströmen der Erde mit einer Temperatur von 35 bis 41 Grad Celsius. Sie bilden die Grundlage für die Wildbader Bewegungstherapie. Verantwortlich für den jahrhundertealten Ruf der Stadt Bad Liebenzell als Heilbad und Kurort für Rheumakranke und für Menschen mit Gefäßerkrankungen und Bandscheibenschäden sind ebenfalls warme Mineralquellen (24 bis 29 Grad Celsius).

Herzog Friedrich von Württemberg (1593–1608) gründete um 1600 Freudenstadt. Der herzogliche Baumeister Heinrich Schickhardt legte die Stadt wie ein Mühlebrett um den quadratischen, mehr als 200 Meter langen und breiten Marktplatz an. Die ersten Siedler Freudenstadts waren evangelische Glaubensflüchtlinge aus Kärnten und der Steiermark. Sie fanden Arbeit in den Silberbergwerken des nahen Forchbachtales.

Im Nagoldtal liegt der historische Klosterort Hirsau. Das im 9. Jahrhundert gestiftete Benediktinerkloster gehörte im 11. Jahrhundert zu den Hauptstützen der Reformbewegung von Cluny. Die Cluniazensische Reform forderte eine Rückkehr zur reinen Regel des Ordensvaters St. Benedikt, ein streng geregeltes Leben der Mönche und die Unabhängigkeit von weltlicher und bischöflicher Macht. Die Reform verbreitete sich von Hirsau aus in Deutschland, parallel mit dem schlichten Stil der Hirsauer Bauschule. Zeugen der Zeit sind neben dem Eulenturm (1110–20) die Klosterruinen St. Peter und Paul (1082–1091) und der erhaltene Teil der Aureliuskirche. Nahegelegene Filiale des Hirsauer Klosters und ein instandgehaltenes Beispiel für die Hirsauer Bauschule ist Klosterreichenbach im Murgtal.

Die Stadt Calw, die Heimat des Dichters Hermann Hesse, unweit des Hirsauer Klosters gelegen, sah ihre Blütezeit im Spätmittelalter. Holz- und Salzhändler, Tuchmacher und Gerber schufen beträchtlichen Wohlstand in Hesses „Gerbersau“. Die Kriegszerstörungen des 17. Jahrhunderts ließen jedoch nur einen Turm von über einem Dutzend der alten Stadtbefestigung übrig, den „Langen“. Eine der wenigen mittelalterlichen Brückenkapellen, die erhalten sind, ist die Nikolauskapelle auf der Nagoldbrücke. Die Grafen von Calw gehörten zu den bedeutendsten schwäbischen Hochadelsgeschlechtern des Mittelalters. Sie waren Stifter der Klöster Sindelfingen und Hirsau. Ihr Geschlecht erlosch Ende des 13. Jahrhunderts, ihre Besitzungen fielen an Württemberg.

Bad Teinach, eingebettet im Teinachtal und von der staufischen Burgruine Zavelstein überragt, ist das kleinste unter den 24 Heilbädern Baden-Württembergs. Im Jahr 1835 zum königlichen Bad erhoben, entstanden hier rasch eine Reihe klassizistischer Bauwerke nach Plänen des Baumeisters Nicolaus Thouret. Badehaus, Trinkhalle und Badhotel sind heute noch Zentrum der Stadt. Hier kuriert man außer Herz- und Kreislaufkrankheiten mit der Hirsch- und Adelheidquelle auch Nieren- und Blasenleiden. Die ehemals freie Reichsstadt Gengenbach im Kinzigtal birgt innerhalb der Tore, Türme und Mauern noch all das, was man sich unter deutscher Kleinstadtromantik vorstellt: alte Fachwerk- und Bürgerhäuser, malerische Gassen und verträumte Winkel.

Die Reise mit der Schwarzwaldbahn durch die waldreiche, von lieblichen Tälern durchzogene Landschaft von Offenburg bis Konstanz ist ein Genuß. Eisenbahnfreunde kommen hier so recht auf ihre Kosten. Denn zwischen Hornberg und Sommerau fährt man im oberen Gutachtal 9,5 Kilometer lang durch 36 Tunnels. Hier liegt mit 832 Metern der höchste Punkt der Strecke. Der Erbauer der 1873 fertiggestellten Schwarzwaldbahn, Robert Gerwig (1820–1885), ließ hier die Bahn auf 11 Kilometern Luftlinie um 448 Meter steigen, auf einer Strecke von 26 Kilometern, mit Kehrtunnels und zwei Doppelschleifen. Robert Gerwig gilt als einer der genialsten Eisenbahningenieure. Er war u. a. am Bau der Höllentalbahn und der Gotthardbahn in der Schweiz maßgeblich beteiligt.

Das mittelalterliche Villingen mit seinen Türmen und Toren gehört zu den wenigen Orten, die ihr nach einem einheitlichen Plan geschaffenes Stadtbild in unsere Zeit herübergerettet haben. Hier steht eines der ältesten Steinhäuser Südwestdeutschlands, die Rabenscheuer mit spätromanischen Fenstern. Villingen ist heute Teil der Doppelstadt Villingen-Schwenningen. Das Naturschutzgebiet Schwenninger Moos liegt auf der Europäischen Wasserscheide zwischen Schwenningen und Bad Dürrheim in der Baarhochmulde. Torfnutzung hat das einstige Hochmoor fast vollständig abgetragen. Dadurch ist eine reizvolle Landschaft entstanden mit verschiedenen Moorvegetationen von der Verlandungszone bis zum Hochmooransatz. Nicht nur seltenen Pflanzen, auch Vögeln und Libellen ist das Schwenninger Moos eine Heimat.

Charakteristisch für den Hochschwarzwald ist der Wechsel zwischen hohen Bergen und wildromantischen Schluchten wie dem Höllental oder der Wutachschlucht. Weite Hochflächen sind von lieblichen Tälern durchzogen. Sonnige Wiesen und schattige Wälder mit klaren Bächen, Flüssen und Seen wechseln sich ab. Terrassenförmig steigt der Südliche Schwarzwald vom 300 Meter hoch gelegenen Hochrhein an bis hinauf zum Feldberg, der mit nahezu 1500 Metern der höchste Gipfel des Schwarzwalds ist. Der Nord-Süd-Verlauf der teils wildromantischen Täler gibt der Landschaft des Südlichen Schwarzwaldes mit dem Hotzenwald das Gepräge. Wehra, Murg, Alb, Schlücht, Steina und Wutach haben in den Jahrtausenden seit der Eiszeit ihr Flußbett tief in das Granitgestein eingeschnitten. Weit reicht der Blick vom Feldberggipfel, von Belchen, Herzogenhorn oder Kandel über die oberrheinische Tiefebene bis zu den Vogesen im Westen und zu den Alpen im Süden.

Einen Überblick über das Leben im Hochschwarzwald geben Heimatmuseen in Triberg, St. Georgen oder Titisee-Neustadt, das „Hüsli" in Grafenhausen-Rothaus und das Freilichtmuseum Vogtsbauernhof in Gutach. Doch eigentlich ist jeder alte Schwarzwaldhof ein Denkmal für sich, lebendiges Zeugnis des Bauernlebens im Schwarzwald. Eine ganze Reihe von berühmten Klöstern und Kirchen finden sich auch im Hochschwarzwald: St. Trudpert im Münstertal, St. Ulrich, St. Peter, St. Märgen und das ehemalige Benediktinerkloster St. Blasien.

Wahre Paradiese für Wassersportler sind der Titisee und der Schluchsee. Doch auch Wintersportler finden im Schwarzwald auf Langlaufloipen und Abfahrten ein weites Betätigungsfeld. Hinterzarten, berühmt durch den Skispringer Georg Thoma, ist Austragungsort internationaler Skispringen. Der Schwarzwald-Verein hält 23 000 Kilometer Wanderwege instand für Wanderfreunde jeden Alters.

Ganz im Süden, zu Füßen des Schwarzwalds im Rheintal, gründete der Heilige Fridolin das Kloster Säckingen, aus dem sich im 9. Jahrhundert ein Frauenstift entwickelte. Die Krypta des Fridolinsmünsters in Bad Säckingen stammt aus karolingischer Zeit.

Schwarzwaldhaus

The Black Forest

The Black Forest, the highest range of mountains in southwest Germany, is a popular tourist attraction, with its bracing climate and boundless stretches of fir trees. The northern Black Forest is characterized by its long mountain chains, punctuated by wide plains and deep valleys dug by rivers. Famous spas such as Wildbad, Freudenstadt and Bad Teinach, with their thermal and mineral springs, nestle here between forests, meadows, cliffs and rivers. The town of Calw, home of the poet Hermann Hesse, had its heyday in the late middle ages. Wood and salt dealers, cloth makers and tanners all brought added wealth to Hesse's "Gerbersau" or "tanner's mead".

A journey on the Black Forest railway through the fir-covered landscape with its attractive valleys from Offenburg to Constance is something no railway enthusiast should miss: Between Hornberg and Sommerau, in the upper valley of the Gutach, is a stretch 9.5 km long which passes through no less than 36 tunnels. The builder, Robert Gerwig (1820–1885), achieved an increase in altitude of 448 metres over a 26 kilometre stretch of track, or only 11 kilometres as the crow flies.

Dramatic changes between soaring peaks and plunging gorges such as the Höllental or the Wutachschlucht characterize this part of the Black Forest. Wide plains give way to attractive valleys, sunny meadows to cool forests with clear streams, rivers and lakes. The southern part of the Black Forest rises from the Upper Rhine to the Feldberg, the highest peak of the Black Forest, at 1500 metres. The wild and romantic valleys which punctuate the progression of the Black Forest from north to south afford the southern part and the Hotzenwald their own unique character.

The Titisee and Schluchsee lakes offer idyllic conditions for water sports, and in winter the cross-country tracks and downhill slopes are popular attractions for all types of winter recreation. The Black Forest Association maintains a total of 23,000 kilometers of hiking paths for walking enthusiasts of all ages.

La Forêt-Noire

La Forêt-Noire, le massif moyen le plus élevé du sud-ouest de l'Allemagne, est un paysage apprécié des vacanciers. Son climat sain et ses vastes forêts de sapin en font l'« armoire à remèdes verts » du pays. Les chaînes de montagnes allongées sont caractéristiques du nord de la Forêt-Noire; elles sont entrecoupées de hauts plateaux dans lesquels les rivières ont creusé de longues et profondes vallées. Blotties entre la forêt, les prairies, les rochers et la rivière, les villes d'eau réputées pour leurs sources d'eau thermale ou minérale se succèdent: Wildbad, Freudenstadt et Bad Teinach. Calw, ville natale du poète Hermann Hesse, a connu sa plus grande prospérité à la fin du Moyen-Age; les marchands de bois et de sel, les drapiers et les tanneurs assurèrent une grande opulence à la « cité des tanneurs » chère à Hermann Hesse.

La ligne de chemin de fer de la Forêt-Noire traverse un paysage boisé entrecoupé de charmantes vallées, ce qui donne un grand agrément au trajet d'Offenburg à Constance. Les amateurs de chemin de fer peuvent être satisfaits, car, dans la haute vallée de la Gutach, entre Hornberg et Sommerau, on traverse 36 tunnels en 9,5 kilomètres. Le constructeur de cette ligne, Robert Gerwig (1820–1885) lui fait effectuer sur une distance de 26 kilomètres (11 kilomètres en ligne droite) une montée de 448 mètres.

Ce qui est caractéristique de la haute Forêt-Noire, c'est l'alternance entre les sommets élevés et les gorges sauvages et romantiques comme celle de Höllental ou de la Wutach. De vastes hauts-plateaux sont traversés par de charmantes vallées. Des prairies ensoleillées alternent avec des forêts ombreuses et des torrents, des rivières et des lacs limpides. Le sud de la Forêt-Noire s'élève en terrasses depuis la plaine du haut Rhin qui se trouve à 300 mètres jusqu'au Feldberg qui, culminant à presque 1500 mètres, est le sommet le plus élevé de la Forêt-Noire. Souvent sauvages et romantiques, les vallées placées dans la direction nord-sud sont caractéristiques du paysage du sud de la Forêt-Noire avec son haut plateau de Hotzenwald. Les lacs de Titisee et de Schluchsee sont de véritables paradis pour les fanatiques de sports nautiques. Mais les amateurs de sports d'hiver peuvent également profiter des pistes de ski de fond et de ski de piste. La club de la Forêt-Noire entretient 23 mille kilomètres de chemins balisés pour les adeptes des randonnées de tout âge.

Zu Füßen des Schliffkopfs, im Tal der Wiesenau, liegt die Ruine des im Jahr 1196 gegründeten Prämonstratenserklosters Allerheiligen. Es wurde im Jahr 1803 durch die Säkularisation aufgehoben und im selben Jahr durch Blitzschlag zerstört.

At the foot of the Schliffkopf in the Wiesenau Valley are the ruins of the All-Saints Premonstratensian monastery founded in 1196. The monastery was dissolved during the secularization period in 1803, and was destroyed by lightening in the same year.

Les ruines du couvent de Prémontrés d'Allerheiligen fondé en 1196 se trouvent au pied du Schliffkopf, dans la vallée de la Wiesenau. Dissout en 1803 en raison de la sécularisation, il fut détruit la même année par la foudre.

Das Graf-Eberhards-Bad in Wildbad – hier die maurische Halle – ist eines der „Fürstenbäder“ aus dem 19. Jahrhundert. „Ins Wildbad will er reiten“, so dichtete Ludwig Uhland über Graf Eberhard II. (1344–1392), „wo heiß ein Quell entspringt, der Sieche heilt und kräftigt, der Greise wieder jüngt.“

Graf-Eberhards-Bad in Wildbad – the picture shows the Moorish Hall – is one of the "Fürstenbäder" or Prince's Spas dating back to the 19th century. The healing powers of the Wildbad Spa were described by the poet Ludwig Uhland.

Les thermes du comte Eberhard à Wildbad – ici la salle mauresque – comptent parmi les villes d'eau «princières» du XIXème siècle. Ludwig Uhland écrivit ces vers sur le comte Eberhard II (1344–1392). «Il veut se rendre à Wildbad, là où jaillit une source chaude qui guérit et fortifie les malades et rajeunit les vieillards».

Der Eulenturm aus dem frühen 12. Jahrhundert gehört zu den glanzvollen Überresten des einst bedeutenden Klosters HIRSAU. Nach der Reformation zog 1535 eine evangelische Klosterschule dort ein. Die Anlage wurde im Jahr 1692 von französischen Truppen zerstört und nicht wieder aufgebaut.

The Eulenturm, or "Owls' Tower", dating back to the 12th century, is one of the splendid remnants of the once important monastery at Hirsau. After the Reformation, a Protestant monastery school moved into the building in 1535. The buildings were destroyed by French troops in 1692 and never restored.

La tour «Eulenturm» qui date du début du XIIème siècle fait partie des splendides vestiges du monastère jadis puissant de Hirsau. Une école protestante s'y installa après la Réforme, en 1535. Détruit en 1692 par les troupes françaises, il ne fut jamais reconstruit.

Noch immer ist die Vaterstadt für mich Vorbild, Urbild der Stadt“, schrieb Hermann Hesse über CALW. Fachwerkhäuser rahmen den Calwer Marktplatz ein (links).

Hermann Hesse once said of Calw: “My home town is still a model to me, the archetypal town”. The Market Square in Calw is surrounded by half-timbered houses (left).

De Calw, Hermann Hesse écrivit: «Ma ville paternelle reste pour moi le modèle et l'idéal de la ville». Les maisons à colombage encadrent la place du marché de Calw (à gauche).

Die Stadtkirche in FREUDENSTADT (rechts) wurde über eine Ecke des Marktplatzes gebaut: Zwei Kirchenschiffe treffen im Chor im rechten Winkel aufeinander.

The main town church in Freudenstadt (right) was built over one corner of the Market Square: Two transepts meet at right angles in the choir stalls.

L'église de Freudenstadt (à droite) se trouve en diagonale par rapport à la place du marché: la nef et le transept se rencontrent à angle droit dans le choeur.

*D*ie Kirche St. Benedikt des Klosters Alpirsbach ist eines der großartigsten Bauwerke der deutschen Romanik. Das am Oberlauf der Kinzig gelegene Kloster gilt als das reinste Beispiel der schlichten cluniazensischen Reformarchitektur auf deutschem Boden. Der gotische Kreuzgang wurde um 1480 angefügt.

St. Benedict's Church in the monastery at Alpirsbach is one of the greatest monuments of the German Romanesque period. The monastery, built on the headwaters of the River Kinzig, is considered the most unadulterated example of Cluniac Reformation architecture in Germany. The Gothic transept was added around 1480.

L'église St-Benedikt du monastère d'Alpirsbach est l'un des monuments romans les plus grandioses d'Allemagne. Situé sur le cours supérieur de la Kinzig, ce monastère passe pour un exemple parfait de l'architecture sobre des moines réformateurs de Cluny en Allemagne. Le cloître gothique fut ajouté en 1480.

Naturerlebnis Schwarzwald

The Black Forest: Nature's Playground · La découverte de la nature en Forêt-Noire

Vielfältige Natur kann man im Schwarzwald erleben: vom Triberger Wasserfall (oben) über die Ginsterblüte im Juni (oben rechts) bis zum felsigen Bachbett der Murg (unten rechts).

The Black Forest is the home of many natural beauty spots: From the waterfall at Triberg (above) to the broom in flower in June (top right) and the rocky bed of the Murg (bottom right).

En Forêt-Noire, la nature présente un caractère très diversifié: des cascades de Triberg (en haut) au lit rocheux de la Murg (en bas à droite) en passant par les genêts en fleurs en juin (en haut).

Ein Paradies für kleine Kletterfans sind die Günterfelsen bei Furtwangen (oben). „Die Geister am Mummelsee“ beschwor Eduard Mörike 1828 in einem Gedicht (unten).

The Günter rocks near Furtwangen (top) are a paradise for climbing enthusiasts. Eduard Mörike invoked the "Ghosts of the Mummelsee" in 1828 in one of his poems (bottom).

Les rochers de Günterfelsen près de Furtwangen sont le paradis des amateurs de varappe (en haut). Dans un de ses poèmes, Eduard Mörike conjura les «fantômes du lac de Mummelsee» en 1828 (en bas).

Burg HORNBERG (links) war im Jahr 1564 der Schauplatz des Hornberger Schießens. Herzog Christoph hatte seinen Besuch angekündigt, und der Wächter gab so oft Fehlalarm, daß die Ehrengarden alles Pulver verschossen hatten, als der Herzog wirklich eintraf.

Hornberg fortress (left) was the scene of the "Hornberger Schiessen" in 1564. Each year a colourful pageant re-enacts the story: Duke Christopher had announced his visit, and the watchman gave so many false alarms that the guard of honour had used up all their gunpowder before the Duke actually arrived.

Les Coups de feu de Hornberg «Hornberger Schiessen» se produisirent en 1564 au château-fort de Hornberg (à gauche). Le duc Christophe s'étant annoncé, la sentinelle donna de fausses alertes si nombreuses que, lorsque le duc arriva vraiment, les réserves de poudre de la garde d'honneur étaient épuisées.

Weltberühmt ist der Schwarzwald für seine KUCKUCKSUHREN. Die „klassische" Ausprägung als Bahnhäusle-Kuckuck entstand Mitte des 19. Jahrhunderts, hier in einer Uhr aus dem Jahr 1860 (oben).

The Black Forest is famed throughout the world for its cuckoo clocks. The "classical" cuckoo we are familiar with today dates back to the 19th century, seen here in a clock made in 1860 (above).

Le coucou de Forêt-Noire jouit d'une célébrité mondiale. Sa forme classique s'est créée vers le milieu du XIXème siècle. Ici, une horloge de 1860 (en haut).

Der Vogtsbauernhof im Schwarzwälder Freilichtmuseum Gutachtal stammt aus dem Jahr 1570. Um ihn herum gruppieren sich andere alte Haustypen des Schwarzwalds.

The steward's farmhouse in the Gutach Valley open-air museum in the Black Forest dates back to the year 1570. Other old houses typical of the Black Forest are grouped around the farmhouse.

La ferme « Vogtsbauernhof» qui se trouve dans le musée en plein air de Gutachtal date de 1570. Tout autour sont regroupées d'autres maisons typiques de Forêt-Noire.

Schwarzwälder Trachten

Traditional Black Forest Costumes · Les costumes folkloriques de Forêt-Noire

Sonntags beim Kirchgang tragen die Frauen in St. Peter ihre Tracht (unten). An der Prozession zu Fronleichnam in Bernau nimmt das ganze Dorf teil (rechts).

The women of St. Peter wear their traditional costume (below) to church on Sundays. The entire village (right) takes part in the Corpus Christi procession in Bernau (right).

Le dimanche, en allant à la messe, les femmes de St-Peter portent le costume régional (en bas). A Bernau, tout le village prend part à la procession de la Fête-Dieu (à droite).

Bernau, die Heimat des Malers Hans Thoma, ist unverfälschte Kulisse für die traditionellen Trachten, vor hundert Jahren ebenso wie heute.

Bernau, home town of the painter Hans Thoma, provides the same authentic background for the traditional costumes as it has done for the past hundred years.

Bernau, la ville natale du peintre Hans Thoma, est la coulisse naturelle des costumes traditionnels, voilà cent ans tout comme maintenant.

Erinnerungen an den Petersdom erweckt die Kuppel des Doms von St. Blasien. Benediktinermönche gründeten im 8. Jahrhundert dieses Kloster, das im 18. Jahrhundert als Fürstabtei seine Blütezeit erlebte. Es wurde 1806 aufgelöst. Im Jahr 1934 zog ein Jesuitenkolleg dort ein.

The dome of the Cathedral at St. Blasien is reminiscent of St. Peter's Basilica. This monastery was founded in the 8th century by a Benedictine order, and experienced its heyday in the 18th century as a royal abbey. It was dissolved in 1806, and occupied in 1934 by a Jesuit college.

La coupole de la cathédrale de St-Blasien n'est pas sans évoquer la cathédrale Saint-Pierre de Rome. Des Bénédictins fondèrent au VIIème siècle ce monastère qui connut son apogée au XVIIIème siècle quand il eut à sa tête un prince-abbé. Il fut dissout en 1806. Un collège de Jésuites s'y est installé en 1934.

Mächtig überragen die Türme und der langgestreckte Bau des St. Fridolinsmünsters die Stadt BAD SÄCKINGEN. Über den Rhein führt die längste gedeckte Holzbrücke Europas.

The town of Bad Säckingen is dominated by the mighty spires and the long expanse of St. Fridolin's Cathedral. The town boasts Europe's longest covered wooden bridge, which spans the Rhine.

Puissantes, les tours et la longue nef de la cathédrale St-Fridolin dominent la ville de Bad-Säckingen. Le plus long pont couvert d'Europe y traverse le Rhin.

HAIGERLOCH, einst Sitz eines Zweiges des Hauses Hohenzollern, zeigt sich im Frühsommer während der Fliederblüte von seiner schönsten Seite. An das Schloß, das sich auf einem Muschelkalkfelsen erhebt, schließt sich die Schloßkirche an.

Haigerloch, former seat of a branch of the Hohenzollern family, is breathtakingly beautiful in early summer when the lilac is in full bloom. The castle, which rises from a shelly limestone rock, gives onto the castle chapel.

Au début de l'été, lorsque le lilas fleurit, Haigerloch, jadis fief de l'une des branches de la maison de Hohenzollern, se présente dans toute sa beauté. L'église fait suite au château qui se dresse sur un rocher de coquillart.

Graf Wilhelm von Württemberg, der spätere Herzog von Urach, ließ, angeregt durch Wilhelm Hauffs 1826 erschienenen Roman „Lichtenstein“, 1840–42 Burg Lichtenstein erbauen, nach seinen Wünschen „eine deutsche Ritterburg im edelsten Stil des Mittelalters“, die jedes Jahr 200 000 Besucher zählt.

Inspired by Wilhelm Hauff's novel of 1826 entitled "Lichtenstein", Graf Wilhelm von Württemberg, later to become the Duke of Urach, built Lichtenstein Castle in 1840–42, hoping to emulate the ideal of a knight's castle in the medieval style. Today, the castle is visited by some 200,000 tourists every year.

Inspiré par «Lichtenstein», le roman de Wilhelm Hauff paru en 1826, le comte Guillaume de Wurtemberg, qui devait devenir duc d'Urach, fit construire entre 1840 et 1842 le château-fort de Lichtenstein dont il voulait qu'il soit «un château de chevalier allemand dans le style le plus noble du Moyen-Age». Ce château attire actuellement 200.000 visiteurs par an.

Auf der Schwäbischen Alb

On the Swabian Alb · Dans le Jura souabe

Kletterfreunde finden in den Felsen rund um Gebrochen Gutenstein ihr Glück (rechts), Wanderer in den Hangwäldern (unten) und auf der Hochfläche der Alb (unten rechts).

The cliffs around the Gebrochen Gutenstein offer ideal conditions for climbers (right), while the forest slopes (bottom) and plateaus of the Alb (bottom right) are a paradise for hikers.

Les amateurs de varappe trouvent leur bonheur dans les rochers qui entourent le Gebrochen Gutenstein (à droite); quant aux randonneurs, ils apprécient les forêts qui recouvrent les pentes (en bas) et le haut-plateau du Jura souabe (en bas à droite).

Reich ist die Schwäbische Alb an Burgruinen wie Hohenurach (oben). Zum Landschaftsbild gehören noch heute die Schafherden (links).

The Swabian Alb is rich in castle ruins such as these in Hohenurach (top). Flocks of sheep (left) are also part of today's typical landscape on the Alb.

Le Jura souabe possède de nombreuses ruines de châteaux-forts comme Hohenurach (en haut). Aujourd'hui encore, les troupeaux de moutons font partie du paysage (à gauche).

Die NEBELHÖHLE bei Genkingen (unten) ist eine imposante Tropfsteinhöhle von 380 Metern Länge. Seit 1803, als Kurfürst Friedrich die Höhle besichtigte, findet jedes Jahr am Pfingstmontag das Nebelhöhlenfest statt.

The Nebelhöhle near Genkingen (below) is an impressive stalactite cave measuring 380 metres in length. Ever since 1803, when Elector Friedrich visited the cave, the "Nebelhöhlenfest" is celebrated every Whit Monday.

La grotte «Nebelhöhle» de Genkingen (en bas) est imposante avec ses stalactites et ses stalagmites et ses 380 mètres de longueur. Chaque année, depuis la visite que le prince électeur Friedrich fit de cette grotte en 1803, une fête y a lieu tous les lundis de Pentecôte.

Die weltweit größte Kolonie von versteinerten Seelilien besitzt das Museum Hauff in HOLZMADEN (oben).

The Hauff Museum in Holzmaden (above) houses the world's largest colony of fossilized water lilies.

Le musée Hauff de Holzmaden possède la colonie la plus importante au monde d'echinodermes fossilisés (en haut).

Eher symbolisch gemeint ist die „Donauquelle" neben dem Fürstenbergischen Schloß in DONAUESCHINGEN. „Brigach und Breg bringen die Donau zuweg", heißt es im Volksmund. Am Rand des Schloßparks fließen die beiden Flüßchen zur Donau zusammen.

The "source of the Danube" next to the Fürstbergisches Schloß in Donaueschingen is rather symbolic than factual. In fact, and according to a local saying, the two rivers Brigach and Breg flow together to form the Danube.

A Donaueschingen, la «source du Danube» à côté du château des Fürstenberg a plutôt une valeur symbolique. Un dicton populaire affirme: «la Brigach et la Breg donnent naissance au Danube». A l'extrémité du parc du château, le confluent de ces deux rivières forme le Danube.

Ein Ort der Stille und Einkehr im Donautal ist Kloster BEURON. Einst von Augustiner-Chorherren gegründet, leben dort seit Ende des 19. Jahrhunderts Benediktinermönche, die mit dem Gregorianischen Choral altes liturgisches Erbe pflegen.

The Beuron monastery is a haven of peace and tranquillity in the Danube Valley. Founded by Augustine canons, the monastery has been inhabited since the end of the 19th century by a Benedictine order which preserves an old tradition of Gregorian chanting.

Le monastère de Beuron dans la vallée du Danube est un lieu de calme et de recueillement fondé par des chanoines Augustins. Mais depuis le XIXème siècle, ce sont des Bénédictins qui y vivent et qui entretiennent le patrimoine liturgique du chant grégorien.

Die Doppeltürme der OBERMARCHTALER Klosterkirche (oben) überragen die Wipfel der Bäume. Von 776 bis 1802 war hier ein Prämonstratenserkloster.

The double spires of the Obermarchtal monastery church (above) look out over the treetops. A Premonstratensian order lived and worshipped here from 776 to 1802.

Les tours doubles de l'église conventuelle d'Obermarchtal (en haut) dominent la cime des arbres. Un couvent de Prémontrés y exista de 776 à 1802.

Schloß SIGMARINGEN (rechts) ist seit über vierhundert Jahren Sitz der Fürsten von Hohenzollern-Sigmaringen. Es liegt auf einem mächtigen Felsen über der Donau.

For over four hundred years, the Castle at Sigmaringen (right) has been the seat of the Princes of Hohenzollern-Sigmaringen. The castle stands on a massive cliff overlooking the Danube.

Le prince de Hohenzollern-Sigmaringen réside depuis plus de quatre siècles au château de Sigmaringen qui se dresse sur un promontoire dominant le Danube (à droite).

Eines der glänzendsten Bauwerke des Barock ist die Kirche der Benediktinerabtei in ZWIEFALTEN (oben). Namhafte Künstler – J. M. Fischer, J. M. Feichtmayr, J. J. Christian, A. M. von Ow, F. J. Spiegler – waren hier tätig.

One of the most splendid examples of Baroque architecture is the church of the Benedictine abbey in Zwiefalten (top). The church incorporates the work of renowned artists such as J. M. Fischer, J. M. Feichtmayr, J. J. Christian, A. M. von Ow, and F. J. Spiegler.

L'un des plus magnifiques monuments de style baroque est l'église de l'abbaye de Bénédictins de Zwiefalten (en haut). Des artistes renommés – J. M. Fischer, J. M. Feichtmayr, J. J. Christian, A. M. von Ow, F. J. Spiegler – y ont travaillé.

Eine typische Karsterscheinung der Schwäbischen Alb: Auf der Hochfläche sickert Regenwasser durch das Kalkgestein und tritt in Quellen wie dem BLAUTOPF wieder zutage.

A typical karstic phenomenon on the Swabian Alb: Rainwater on the plateau seeps through the limestone and reappears in springs like the Blautopf.

Un phénomène karstique typique dans le Jura souabe: l'eau de pluie s'infiltre en surface dans le calcaire et fait résurgence sous forme de source comme le Blautopf.

Künstler der Ulmer Schule schufen Ende des 15. Jahrhunderts den Hochaltar des Benediktinerklosters BLAUBEUREN. Berühmte Schüler des nach der Reformation evangelisch gewordenen Seminars waren der Schriftsteller Wilhelm Hauff und der Theologe David Friedrich Strauß.

The high altar of the Benedictine monastery in Blaubeuren was created by artists of the Ulm School at the end of the 15th century. The seminary, which turned Protestant after the Reformation, was attended by such famous names as the author Wilhelm Hauff and the theologian David Friedrich Strauß.

Les artistes de l'école d'Ulm créèrent à la fin du XVème siècle le grand autel de l'église du couvent de Bénédictins de Blaubeuren. Le séminaire, devenu protestant après la Réforme, compta parmi ses élèves des personnages célèbres: l'écrivain Wilhelm Hauff et le théologien David Friedrich Strauss.

Pflanzenwelt der Alb

Plant Life on the Alb · Les plantes du Jura souabe

Der Weiße Mauerpfeffer ist ein Felsenbewohner (oben). Die geschützten Pflanzen Frauenschuh (oben rechts) und Blauer Eisenhut (rechts) überleben auf der Schwäbischen Alb.

Worm grass grows on the rock face (above). Lady-slipper (top right) and blue monkshood (right) survive on the Swabian Alb.

Le poivre blanc des murailles apprécie les rochers (en haut). Le sabot de Vénus (en haut à droite) et l'aconit bleu (à droite) survivent dans le Jura souabe.

Zum typischen Landschaftsbild der Schwäbischen Alb gehört eine Wachholderheide wie diese am Sternberg bei Gomadingen (oben). Hier wachsen die geschützten Silberdisteln, eine vom Aussterben bedrohte Pflanze (unten).

A juniper heath such as this one on the Sternberg Gomadingen (top) is part of the typical scenery of the Swabian Alb. This is the natural habitat of the protected carline thistle, which is faced with extinction (bottom).

Cette lande de genévriers du Sternberg près de Gomadingen est un paysage caractéristique du Jura souabe (en haut). Le chardon argenté qui y pousse est une plante menacée et donc protégée (en bas).

Der „Fischbrunnen" am ULMER Rathaus, ein Meisterwerk aus der Zeit der Gotik, erinnert an die Zeit, als der Fischhandel in der Reichsstadt noch blühte. Von Ulm aus fuhren auf den Frachtschiffen, den „Ulmer Zillen", bereits im 12. Jahrhundert Leinwand und Wein donauabwärts.

The "Fischbrunnen" at the Town Hall in Ulm, a masterpiece from the Gothic period, is reminiscent of a time when the fish trade flourished in the former Free Imperial City. From Ulm, the "Ulmer Zillen" cargo ships carried linen and wine down the Danube to the sea as long ago as the 12th century.

La fontaine aux Poissons «Fischbrunnen» de l'hôtel de ville d'Ulm est un chef-d'oeuvre de style gothique qui évoque l'époque où le commerce du poisson était encore florissant dans la ville libre impériale. Dès le XIIème siècle, des bateaux appelés «Ulmer Zillen» descendaient le Danube, chargés de toile et de vin.

Vom höchsten Kirchturm der Welt, vom 161,60 Meter hohen Turm des ULMER Münsters, geht der Blick nach Osten. Selbst das mächtige Langhaus der zweitgrößten Kirche Deutschlands erscheint aus dieser Höhe wie Spielzeug.

The 161.60 metre high spire of Ulm Cathedral, the highest church spire in the world, offers a splendid view to the east. Even the mighty nave of the second largest cathedral in the world looks like a model from this height.

Du plus haut clocher du monde – celui de la cathédrale d'Ulm qui a 161,60 mètres de haut – le regard se dirige vers l'est. Même la puissante nef de l'une des plus grandes églises d'Allemagne semble un jouet, vue de cette hauteur.

Das Residenzschloß der Württemberger Grafen in BAD URACH birgt den „Goldenen Saal", der unter Graf Eberhard im Bart geschaffen wurde. Die Wände zieren gemalte Palmen und sein Leitspruch „Attempto" – ich wag's!, mit dem er auf Pilgerfahrt ins Heilige Land gezogen war.

The residential castle of the Counts of Württemberg in Bad Urach boasts the "Golden Hall", created under Count Eberhard im Bart. Painted palm trees decorate the walls, as well as the motto "Attempto" – I dare – with which he travelled as a pilgrim to the Holy Land.

Le palais des comtes de Wurtemberg à Bad Urach renferme la Salle dorée « Goldener Saal » qui fut réalisée sous le comte Eberhard im Bart. Les murs sont ornés de peintures représentant des palmiers et de sa devise «Attempto», (J'ose), avec laquelle il était parti pour la croisade en Terre sainte.

Die umfangreichen Reste von HOHENRECHBERG stammen aus dem 13. bis 15. Jahrhundert. Burg Hohenstaufen im Hintergrund war die Stammburg des mächtigsten deutschen Kaisergeschlechts, der Staufer.

The copious remains of Hohenrechberg date back from the 13th to the 15th century. Burg Hohenstaufen in the back-ground was the ancestral castle of the most powerful of the German imperial families, the Staufer dynasty.

Les vestiges considérables de Hohenrechberg datent du XIIIème au XVème siècle. Le château-fort à l'arrière-plan appartint aux Hohenstaufen, une puissante lignée d'empereurs allemands.

Der Ursprung des Namens der Stadt AALEN ist nicht im Aal zu suchen, wie die Brunnenfigur vor dem Rathaus nahelegen möchte, sondern in der „Ala Flavia“, einer römischen Reitertruppe, die im Aalener Kastell, dem größten am rätischen Limes, ihren Standort hatte.

The name of the town "Aalen" does not originate from the word "Aal", meaning eel, as the figure on the fountain in front of the Town Hall would seem to suggest, but from the "Ala Flavia", a troop of Roman horsemen who were based in the fortress at Aalen.

La ville d'Aalen ne tire pas son nom du mot «Aal» (anguille), comme pourraient le suggérer les statues de la fontaine devant la mairie, mais du terme «Ala Flavia» qui désignait une troupe de cavaliers romains tenant garnison dans la place-forte d'Aalen, la plus grande du limes romain.

Auf dem Härtsfeld, dem Abschluß der Schwäbischen Alb nach Osten, liegt die Benediktinerabtei Neresheim. Die Klosterkirche wurde erbaut von Balthasar Neumann und beherbergt eine berühmte Barockorgel von Johann Nepomuk Holzhay.

In the Härtsfeld region, the end of the Swabian Alb to the east, is the Benedictine monastery Neresheim. The monastery church was built by Balthasar Neumann and houses a famous Baroque organ by Johann Nepomuk Holzhay.

L'abbaye de Bénédictins de Neresheim se trouve sur le Härtsfeld qui termine le Jura souabe à l'est. L'église conventuelle fut construite par Balthasar Neumann et abrite un célèbre orgue baroque, oeuvre de Johann Nepomuk Holzhay.

Schwäbisch-alemannische Fasnet

Swabian-Alemannian Shrovetide Festival · Le carneval de la Souabe alémanique

Vielfältig wie die Bräuche – hier der Feuerspuk der Waldseer Schrättele (unten rechts) – sind die Masken in Riedlingen (unten) oder Bad Waldsee (rechts).

The masks used in Riedlingen (below) or Bad Waldsee (right) are as varied as the local customs: The picture shows the "fire haunt" in Waldsee (bottom right).

Les masques de Riedlingen (en bas) ou de Bad Waldsee (à droite) sont tout aussi divers que les coutumes; ici les «fantômes de feu» de Waldsee (en bas à droite).

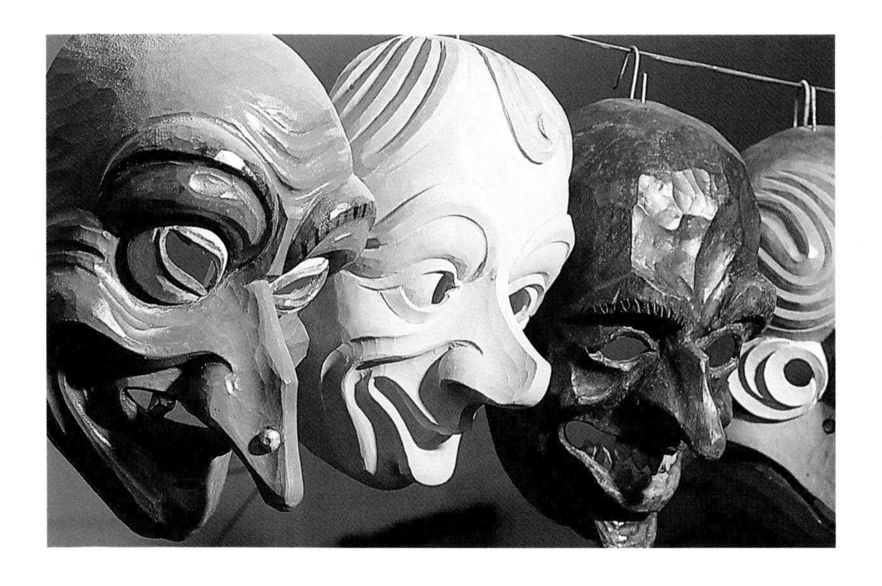

Der Munderkinger Brunnensprung auf dem Marktplatz vor dem Rathaus der Donaustadt ist einer der wenigen Wasserbräuche, die sich erhalten haben.

The Brunnensprung, or leap over the well, performed on the marketplace in Munderkingen in front of the Town Hall, is one of the few remaining water customs.

Le saut par-dessus la fontaine qui se trouve devant la mairie de Munderkingen sur la rive du Danube est l'une des rares coutumes se rapportant à l'eau qui ait subsisté.

Mehlsack" nennen die RAVENSBURGER respektlos das Wahrzeichen der ehemaligen Reichsstadt, den „Weißen Turm". Die Stadt erlebte im 14. und 15. Jahrhundert als bedeutende Handelsstadt ihre Blüte. Die große Ravensburger Handelgesellschaft bestand von 1380 bis 1530.

The citizens of Ravensburg refer to the emblem of their former Free Imperial City, the "White Tower", familiarly as the "Flour Sack". The town flourished in the 14th and 15th centuries as an important trading centre. The great Ravensburg Trading Company existed from 1380 to 1530.

Les habitants de Ravensburg ont irrespectueusement baptisé «sac de farine» la Tour blanche, symbole de l'ancienne ville libre impériale qui fut une grande cité marchande et connut sa plus grande période de prospérité aux XIVème et XVème siècles. La Grande Compagnie commerciale de Ravensburg exista de 1380 à 1530.

Die ehemaligen Reichsstädte Oberschwabens haben ihren ganz besonderen Charme. Aus der Barockzeit stammt die Fassade des WANGENER Rathauses, die zum Marktplatz zeigt. Die Front zur Unterstadt behielt ihren spätgotischen Charakter.

The former Imperial Cities of Oberschwaben possess their own very special charm. The facade of the Town Hall in Wangen, which overlooks the Market Square, originates from the Baroque period. The front which faces the lower part of the town has retained its late Gothic character.

Les anciennes villes libres impériale de Haute-Souabe ont un charme très particulier. La façade de l'hôtel de ville de Wangen qui donne sur la place du marché est de style baroque, mais celle tournée vers la ville basse est restée en gothique flamboyant.

Bei FRIEDRICHSHAFEN am Bodensee (links) erhob sich im Jahr 1900 das erste Zeppelin-Luftschiff.

The first Zeppelin airship was launched near Friedrichshafen on Lake Constance (left) in 1900.

C'est près de Friedrichshafen sur les bords du lac de Constance (à gauche) que le premier zeppelin s'éleva dans les airs en 1900.

An den Ufern des BODENSEES, wie hier bei Kressbronn (rechts), gedeiht, des milden Klimas wegen, Obst und Gemüse in Hülle und Fülle.

The banks of Lake Constance offer a mild climate ideal for fruit and vegetable growing, as shown here near Kressbronn (right).

Les fruits et les légumes se plaisent dans le climat doux des rives du lac de Constance, comme ici près de Kressbronn (à droite).

Der Altertumsforscher Freiherr von Laßberg erwarb 1838 das Alte Schloß von Meersburg und rettete damit die staufische Burg vor dem Abriß. Hier lebte auch seine Schwägerin, die Dichterin Annette von Droste-Hülshoff.

The classical scholar Freiherr von Lassberg purchased the Alte Schloß in Meersburg in 1838, thus saving the Staufer castle from demolition. His sister-in-law, the poetess Annette von Droste-Hülshoff, also lived here.

Le baron de Lassberg, un archéologue, acheta en 1838 l'ancien palais de Meersburg, évitant ainsi que le château-fort des Hohenstaufen ne soit rasé. C'est là que vécut aussi sa belle soeur, la poétesse Annette von Droste-Hülshoff.

Oberschwäbischer Barock

Baroque in Oberschwaben · Le Baroque de Oberschwaben

Barocke Glanzlichter: die Bibliothek des Klosters Wiblingen (oben links), die Dorfkirche in Steinhausen (oben rechts) und das Treppenhaus des Bad Wurzacher Schlosses (links).

Highlights of Baroque architecture: The library of the monastery in Wiblingen, (top left), the village church in Steinhausen (top right) and the staircase of Bad Wurzach castle (left).

Un joyau de l'époque baroque: la bibliothèque du couvent de Wiblingen (en haut à gauche); l'église du village de Steinhausen (en haut à droite) et l'escalier du château de Bad Wurzach (à gauche).

Die Orgel des oberschwäbischen Orgelbaumeisters Gabler in der Basilika des Klosters Weingarten ist hochberühmt (oben). Akzente in Form und Farbe setzten der Baumeister P. Thumb, der Stukkateur J. A. Feichtmayr und der Maler G. B. Goetz in der Wallfahrtskirche in Birnau (unten).

The organ of the master organ builder Gabler in the Basilicum of the Weingarten monastery is famous (top). The master builder P. Thumb, the plasterer J. A. Feichtmayr and the painter G.B. Goetz lent the pilgrimage church in Birnau unique accents of shape and colour (bottom).

Oeuvre du facteur d'orgues souabe Gabler, l'orgue de la basilique du couvent de Weingarten est extrêmement célèbre (en haut). L'architecte P. Thumb, le stucateur J. A. Feichtmayr et le peintre G. B. Goetz ont donné ses formes et ses couleurs caractéristiques à l'église de pèlerinage de Birnau (en bas).

Pfahlbauten der Stein- und Bronzezeit sind bei UHLDINGEN-MÜHLHOFEN rekonstruiert worden. Der Vorliebe dieser Siedler für den nassen Baugrund am Seeufer und in Mooren, in die sie die Stelzen für ihre Häuser setzten, verdanken die Archäologen Erkenntnisse über ihre Ernährung und Kleidung.

Pile houses from the Stone and Bronze Ages have been reconstructed here near Uhldingen-Mühlhofen. It is thanks to the preference of these ancient settlers for swampy building ground on the banks of lakes and in moorland that modern archeologists have been able to discover their clothing and eating habits.

On a reconstitué des édifices sur pilotis des âges de la pierre et du bronze près d'Uhldingen-Mühlhofen. Les archéologues doivent leurs découvertes sur la nourriture et les vêtements de ces premiers habitants grâce à la préférence de ceux-ci pour l'eau des bords des lacs et pour les marais dans lesquels ils plantaient les pieux de leurs maisons.

Kloster Salem war die bedeutendste Zisterzienserabtei Süddeutschlands. Nach der Säkularisation fiel das Kloster an das Großherzogtum Baden. Prinz Max von Baden richtete 1920 eine Internatsschule ein. Das Münster ist ein Hauptwerk süddeutscher Gotik. Die übrige Anlage stammt aus der Barockzeit.

The monastery at Salem was one of the most important Cistercian abbeys in southern Germany. After the secularization period, the monastery was made over to the Grand Duchy of Baden. In 1920, Prince Max von Baden founded a boarding school here. The minster is one of the major examples of Gothic architecture in southern Germany.

Le monastère de Salem fut l'abbaye cistercienne la plus importante du sud de l'Allemagne. Après la sécularisation, elle revint au grand-duché de Bade. Le prince Max de Bade y établit en 1920 un internat. La cathédrale est un chef-d'oeuvre en style gothique du sud de l'Allemagne. Le reste des édifices date de l'époque baroque.

Das Rathaus von KONSTANZ war ursprünglich das Zunfthaus der Leinenweber. Durch die Arkaden betritt man den Innenhof, in dem Serenadenkonzerte stattfinden. Dem Innenhof zugekehrt sind zwei runde Treppentürmchen.

The Town Hall in Constance was originally the Guildhall of the linen weavers. The inner courtyard, where seranade concerts are held, is reached through archways. Two round staircase towers face the inner courtyard.

A l'origine, l'hôtel de ville de Constance était la maison de la corporation des tisserands. On passe sous les arcades pour pénétrer dans la cour intérieure dans laquelle des sérénades sont données. Deux petites tours-escaliers rondes donnent dans la cour.

Einzigartig sind die Wandmalereien in der St. Georgskirche in Reichenau-Oberzell, die um 900 entstanden sind. Selbst die originale Farbtönung ist erhalten. Mäanderfriese schließen die rechteckigen Bilder ein, die von den Wundertaten Jesu erzählen.

The wall paintings in St. George's Church in Reichenau-Oberzell, created around the year 900, are unique. Even the original coloration has been preserved. The rectangular pictures are joined by friezes relating the miracles of Jesus.

Les fresques de l'église St-Georges de Reichenau-Oberzell qui datent de vers l'an 900 sont exceptionnelles car elles ont même conservé leurs couleurs d'origine. Des frises en méandres bordent les fresques carrées qui racontent les hauts faits du Christ.

Bei Dornier in Friedrichshafen wird ein Teleskop für den Röntgensatelliten ROSAT gebaut (links), bei Carl Zeiss in Oberkochen ein Photopolarimeter für den Astronomie-Satelliten ISO (unten links). Am Max-Planck-Institut für Festkörperphysik in Stuttgart forscht man mit Lasertechnik (unten rechts).

At Dornier in Friedrichshafen, a telescope is being built for the X-ray satellite ROSAT (left). At Carl Zeiss in Oberkochen, a photopolarimeter is under construction for the astronomy satellite ISO (bottom left). At the Max-Planck-Institute of solid-state physics in Stuttgart, research is being carried out into laser technology (bottom right).

Dornier construit à Friedrichshafen un télescope pour le satellite ROSAT (à gauche) et Carl Zeiss à Oberkochen réalise un photopolarimètre pour le satellite astronomique ISO (en bas à gauche). L'Institut de physique des corps solides Max Planck de Stuttgart se sert du laser pour effectuer des recherches (en bas à droite).

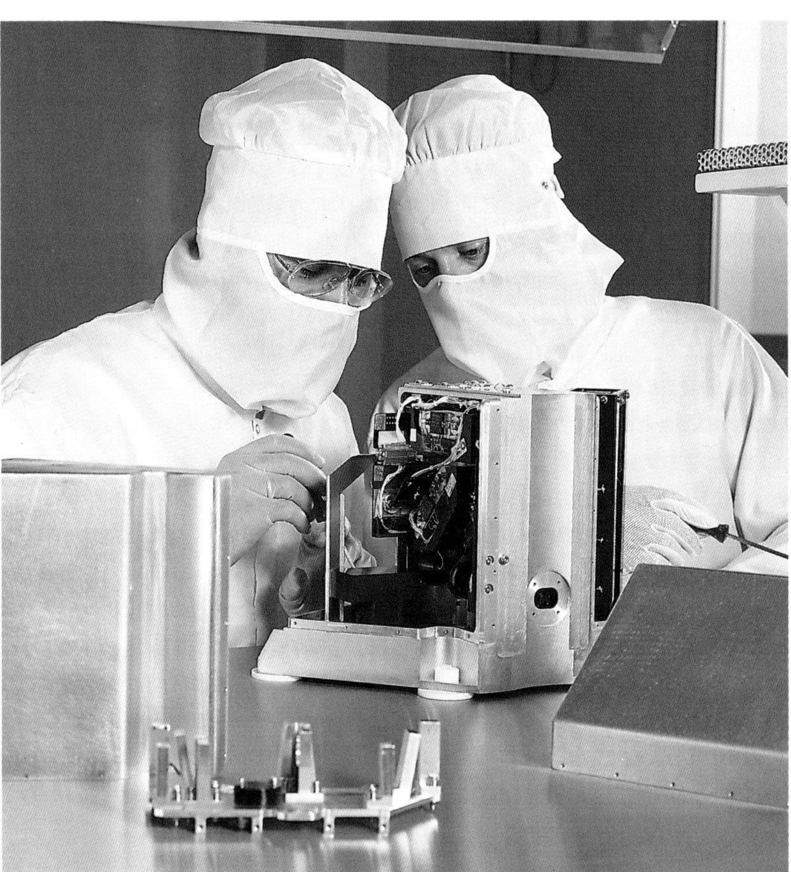

Ein Sonnenspiegel von 17 Metern Durchmesser am Stuttgarter Institut der Deutschen Forschungs- und Versuchsanstalt für Luft- und Raumfahrt. Mit seiner Hilfe erforscht man, wie Solarenergie direkt in chemische Energie umgewandelt werden kann.

A solar mirror, 17 metres in diameter, at the Stuttgart Institute of the German Aviation and Space Technology Research Laboratory. It is being used for research into the way in which solar energy can be transformed directly into chemical energy.

Un miroir solaire de 17 mètres de diamètre à l'Institut de recherches et d'essais aéronautiques et astronautiques de Stuttgart. Il permet de chercher comment transformer directement l'énergie solaire en énergie chimique.

Ein Blick ins Forschungslabor von Boehringer Mannheim (oben links). Ein 4-Megabit-Speicherchip, hergestellt im IBM Werk Böblingen/ Sindelfingen, wird überprüft (oben rechts). In den „Heißen Zellen“ des Kernforschungszentrums Karlsruhe werden neue Verfahren zur Verarbeitung radioaktiver Abfälle entwickelt (rechts).

A glance into the research laboratory of Boehringer Mannheim (top left). A 4-megabit memory chip, produced in the IBM factory in Böblingen/Sindelfingen, is being tested (top right). In the "hot cells" of the nuclear research centre in Karlsruhe, new techniques of processing radioactive wastes are being developed (right).

Un coup d'oeil dans le laboratoire de recherches de Boehringer Mannheim (en haut à gauche). Un chip ayant une mémoire de 4 mégabits fabriqué à l'usine IBM de Böblingen/Sindelfingen est vérifié (en haut à droite). Dans les «cellules chaudes» du Centre de recherches atomiques de Karlsruhe, on élabore de nouveaux procédés de retraitement des déchets radioactifs (à droite).

Leistungstest einer Parabolantenne bei ANT-Nachrichtentechnik in Backnang. Der Absorberraum ist mit Schaumstoff ausgekleidet und völlig reflexionsfrei.

Performance testing a parabola aerial at ANT Nachrichtentechnik in Backnang. The absorber chamber is lined with foam material and completely reflection-proof.

Test des performances d'une antenne parabolique chez le spécialiste des télécommunications ANT-Nachrichtentechnik à Backnang. L'absorbeur est tapissé de mousse et totalement exempt de réflexion.

Ein Blick ins Voith-Werk São Paulo (oben), wo Francislaufräder für zwei brasilianische Kraftwerke bearbeitet werden. Turbinen der Heidenheimer Firma arbeiten in den größten Wasserkraftwerken der Welt.

A glance into the Voith factory in Sao Paolo (above), where Francis impellers for two Brazilian power stations are being processed. Turbines produced by the company from Heidenheim are in operation in many of the world's biggest hydroelectric power stations.

Un coup d'oeil dans l'usine Voith de Sao-Paulo (en haut) où des turbines Francis sont fabriquées pour deux centrales électriques brésiliennes. Les turbines de cette usine de Heidenheim sont en service dans les plus grandes centrales électriques du monde.

Führender Hersteller von Fahrzeugkranen in Europa ist Liebherr in Ehingen. Elektromedizinische Geräte wie diese Überwachungseinheit (unten rechts), die am Intensivbett die lebenswichtigen Funktionen des Patienten mißt, stellt die Freiburger Firma Hellige her.

The company Liebherr in Ehingen (top right) is Europe's leading producer of mobile cranes. The Freiburg company Hellige (bottom right) produces electromedicinal appliances such as this monitoring unit which measures the patient's vital functions in the intensive care unit.

Liebherr d'Ehingen est le leader européen des grues montées sur véhicule (en haut à droite). La société Hellige de Fribourg fabrique des appareillages d'électronique médicale comme cette unité de surveillance contrôlant les fonctions vitales d'un malade (en bas à gauche).

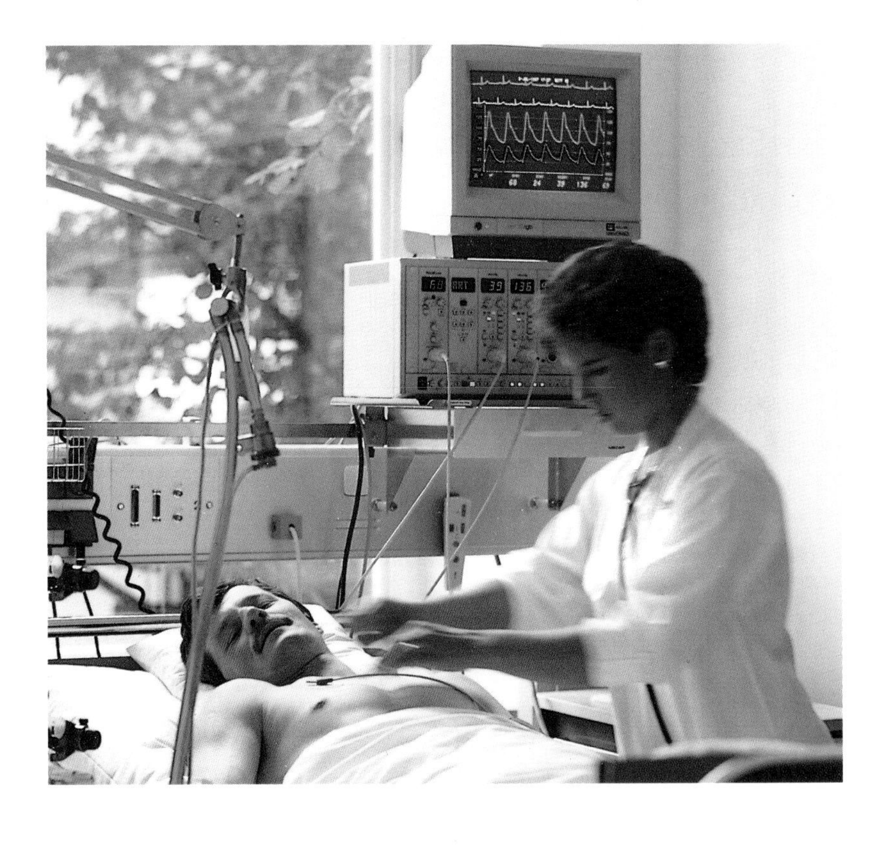

Kurbelgehäuse für 6- bis 16-Zylinder-Dieselmotoren bei der Motoren- und Turbinen Union in Friedrichshafen. Aus ihnen werden einmal Schiffsmotoren.

A crankcase for 6–16 cylinder diesel engines at the company Motoren- und Turbinen Union in Friedrichshafen. These will be used in ships' engines.

Carter de moteurs diesel de 6 à 16 cylindres chez Motoren- und Turbinen Union à Friedrichshafen. Ils deviendront des moteurs de bateaux.

Frei programmierbare Schweißroboter an der Fertigungsstraße beim Karosserie-Rohbau im Mercedes-Benz-Werk Sindelfingen.

Programmable welding robots on the production line in the bodywork construction department at the Mercedes-Benz factory in Sindelfingen.

Robots de soudage programmables à volonté sur la ligne de production de carrosseries dans l'usine Mercedes-Benz de Sindelfingen.

Ein Schwenkarm-Roboter von Bosch: Fertigungsautomation ist ein Tätigkeitsfeld des Bosch-Geschäftsbereichs Industrie-Ausrüstung.

A swivel arm robot from Bosch: Production automation is one of the fields of activity of the Bosch Industrial Equipment Division.

Un robot Bosch à bras pivotant: l'automation de la production est l'un des secteurs d'activité de la branche équipement industriel de Bosch.

Ein Porsche-Motor auf dem Prüfstand. Im Entwicklungszentrum Weissach arbeiten Mechaniker und Ingenieure an ehrgeizigen Zukunftsprojekten.

A Porsche engine on the test stand. Mechanics and engineers work on ambitious future projects in the development centre in Weissach.

Contrôle d'un moteur Porsche. Dans le Centre de recherches et d'études de Weissach, les mécaniciens et les ingénieurs travaillent sur d'ambitieux projets d'avenir.

Berühmte Persönlichkeiten

Aus der Fülle von berühmten Persönlichkeiten aus Baden und Württemberg werden einige wenige repräsentative Männer und Frauen vorgestellt. Ihre kurzen Biografien stehen stellvertretend für die vielen anderen bedeutenden Menschen des Landes.

Carl Friedrich Benz

Ingenieur, * 1844 in Karlsruhe, † 1929 in Ladenburg bei Mannheim. Schuf 1885 den von einem Einzylinder-Viertaktmotor angetriebenen Kraftwagen. Gemeinsam mit **Gottlieb Daimler** (* 1834 in Schorndorf, † 1900 in Stuttgart-Bad-Cannstatt), der den schnellaufenden Verbrennungsmotor mit Glührohrzündung entwickelte, gilt er als Schöpfer des modernen Kraftwagens.

Robert Bosch

Großindustrieller, * 1861 in Albeck b. Ulm, † 1942 in Stuttgart. Gründete 1886 in Stuttgart eine Werkstatt für Feinmechanik. Nur wenig später war durch die Erfindung der Bosch-Zündung die Grundlage für die Entwicklung zum Weltkonzern gelegt.

Claude Dornier

Flugzeugbauer, * 1884 in Kempten, † 1969 in Zug (Schweiz). Gründete 1914 bei Friedrichshafen eine Flugzeugwerft und entwickelte das Flugboot. Er konstruierte 1929 das erste Großraumflugzeug der Welt, das Riesenflugboot Do X, das 169 Menschen Platz bot.

Albert Einstein

Physiker, * 1879 in Ulm, † 1955 in Princeton (USA). Stellte die Relativitätstheorie auf. Für seine Arbeiten zur Quantentheorie erhielt er 1921 den Nobelpreis für Physik. Als Jude wurde er 1933 von den Nationalsozialisten ausgebürgert und emigrierte in die USA.

Albert Einstein

Theodor Heuss

Georg Wilhelm Friedrich Hegel

Philosoph, * 1770 in Stuttgart, † 1831 in Berlin. Seine Philosophie ist gekennzeichnet durch den absoluten Idealismus, der die Vernunft als absolutes System dem Gegensatz von Subjekt und Objekt gegenüberstellt, und durch die dialektische Methode, nach der Gegensätze sich nicht nur ergänzen, sondern auch einander und ihre Vereinigung hervorbringen. Durch Feuerbach, Marx und Engels wurde der Hegelianismus zu einem Grundelement des historischen Materialismus.

Martin Heidegger

Philosoph, * 1889 in Meßkirch, † 1976 in Freiburg im Breisgau. Repräsentierte die Existenzphilosophie als Existenzontologie, die von ihm begründet wurde und die das Sein als sein-verstehendes Dasein begreift. Er entwickelte Kierkegaards Existenzialismus und Husserls Phänomenologie weiter und trat 1928 die Nachfolge von Husserl in Freiburg an. J. P. Sartre baute seine Philosophie des Existenzialismus darauf auf.

Ernst Heinkel

Flugzeugbauer, * 1888 in Grunbach, † 1958 in Stuttgart. Erhob sich 1911 mit dem ersten selbstgebauten Flugzeug über den Cannstatter Wasen. Er entwickelte 1938 das erste Raketen- und Düsenflugzeug der Welt.

Hermann Hesse

Schriftsteller, * 1877 in Calw, † 1962 in Montagnola (Schweiz). Entfloh der theologischen Ausbildung in Maulbronn und lebte ab 1904 als freier Schriftsteller. 1911 reiste er nach Indien, 1921 wurde er Schweizer Bürger. 1946 erhielt er den Nobelpreis für Literatur. Berühmteste Werke: „Siddartha“ (1922), „Der Steppenwolf“ (1927), „Narziß und Goldmund“ (1930), „Das Glasperlenspiel“ (1943).

Theodor Heuss

Politiker, * 1884 in Brackenheim, † 1963 in Stuttgart. War bis 1933 Abgeordneter der Deutschen Demokratischen Partei (Liberale) im Reichstag und wurde unter dem Nationalsozialismus politisch kaltgestellt. 1945/46 wirkte er als Kultminister von Württemberg-Baden, war Gründungsmitglied der FDP, gehörte 1949 dem Parlamentarischen Rat an, hatte maßgeblichen Anteil an der Ausarbeitung des Grundgesetzes und war 1949–1959 erster Bundespräsident der Bundesrepublik Deutschland.

Friedrich Hölderlin

Dichter, * 1770 in Lauffen am Neckar, † 1843 in Tübingen. Studierte mit Hegel und Schelling am Tübinger Stift und verdiente danach seinen Lebensunterhalt als Hauslehrer, u. a. bei Bankier Gontard in Frankfurt, dessen Frau Susette er als „Diotima“ verehrte. Er verfiel auf der Rückreise von Bordeaux in eine geistige Umnachtung und lebte ab 1807 bei Tischler Zimmer in Tübingen. Er verfaßte den Briefroman „Hyperion“ (1797/99) und schrieb vor allem Lyrik, eine einzigartige Sprachleistung, in der Dichtung, Theologie, Mythos und Philosophie verschmolzen sind.

Justinus Kerner

Johannes Kepler

Astronom, * 1571 in Weil der Stadt, † 1630 in Regensburg. Wirkte 1601–12 als kaiserlicher Mathematiker und Hofastronom in Prag und entdeckte 1609 die Gesetze der Planetenbewegung, nach denen die Bewegungen der Planeten durch eine von der Sonne ausgehende Kraft verursacht werden. Dadurch verhalf er dem kopernikanischen Weltbild zur Anerkennung.

Justinus Kerner

Arzt und Dichter, * 1786 in Ludwigsburg, † 1862 in Weinsberg. War als Student mit Uhland, Schwab u. a. befreundet und wurde Mittelpunkt der Schwäbischen Dichterschule. Viele seiner Gedichte sind volkstümlich geworden: „Wohlauf noch getrunken den funkelnden Wein“, „Dort unten an der Mühle“, „Preisend mit viel schönen Reden“.

Sophie von La Roche

Sophie von La Roche

geb. Gutermann, Schriftstellerin, * 1731 in Kaufbeuren, † 1807 in Offenbach am Main. Wurde mit ihrem Roman „Geschichte des Fräuleins von Sternheim" (1771/72) zur Berühmtheit und zur ersten deutschen Unterhaltungsschriftstellerin. Sie war die Base und frühe Verlobte C. M. Wielands. Sie verfaßte darüber hinaus zahlreiche andere Romane, Erzählungen, Reisetagebücher und gab Monatsschriften heraus. Ihre älteste Tochter Maximiliane heiratete den Frankfurter Kaufmann Peter Brentano. Sophie ist also die Großmutter von Clemens Brentano und Bettine von Arnim, geb. Brentano.

Friedrich List

Volkswirtschaftler, * 1789 in Reutlingen, † 1846 in Kufstein (Freitod). Mußte als Opponent der württ. Regierung seine Professur in Tübingen niederlegen. Als Abgeordneter der württ. Kammer wurde er 1822 wegen staatsfeindlicher Aufreizung zu Festungshaft verurteilt und wanderte in die USA aus. List kehrte 1830 als amerikanischer Konsul wieder zurück und hat sich als Wirtschaftspolitiker durch sein Eintreten für die deutsche Zolleinigung und die Mitbegründung des deutschen Eisenbahnbaus große Verdienste erworben.

Philipp Melanchthon

Humanist und Reformator, * 1497 in Bretten, † 1560 in Wittenberg. Wurde 1514 in Tübingen Magister und Lehrer für alte Sprachen, 1518 auf Empfehlung Johannes Reuchlins Professor in Wittenberg. Er schloß sich 1521 Martin Luther im Kampf für die Erneuerung der Kirche an. In den protestantischen deutschen Ländern organisierte der weitblickende Gelehrte und „Praeceptor Germaniae" (Lehrer Deutschlands) das Hochschul- und Lateinschulwesen neu.

Eduard Mörike

Pfarrer und Dichter, * 1804 in Ludwigsburg, † 1875 in Stuttgart. Besuchte die Uracher Klosterschule und das Tübinger Stift. Er war 1834–43 Pfarrer in Cleversulzbach, 1851–66 Literaturlehrer am Königlichen Katharinenstift in Stuttgart. Viele Gedichte Mörikes wurden vertont, u. a. von Schumann und Brahms. Prosawerke u. a. „Idylle vom Bodensee" (1846), „Das Stuttgarter Hutzelmännlein" (1853).

Johannes Reuchlin

Humanist und Jurist, * 1455 in Pforzheim, † 1522 in Stuttgart oder Bad Liebenzell. Gilt neben Erasmus von Rotterdam als Hauptvertreter des deutschen Humanismus. Er war Mitglied des Hofgerichts und bis 1496 Berater von Graf Eberhard. Reuchlin wirkte bahnbrechend für das Studium des Althebräischen, mit dem er das Alte Testament wissenschaftlich erschloß. Er wurde wegen seiner Ablehnung des Antrags auf Verbot aller jüdischen Bücher 1520 als Ketzer verurteilt und lebte, inzwischen dem Augustinerorden beigetreten, in Tübingen.

Friedrich Wilhelm Joseph Schelling

Philosoph, * 1775 in Leonberg, † 1854 in Ragaz (1806 geadelt). Studierte mit Hegel und Hölderlin am Tübinger Stift und wurde durch Goethes Empfehlung nach Jena berufen. Verknüpfte den deutschen Idealismus mit der Romantik und bezog Natur und Kunst in die Philosophie mit ein. Wurde 1803 Professor in Würzburg, 1806 Generalsekretär der Akademie für Bildende Künste in München, ab 1841 Professor in Berlin.

Friedrich Schiller

Dichter, * 1759 in Marbach am Neckar, † 1805 in Weimar (1802 geadelt). War seit 1773 Schüler an der Hohen Carlsschule in Stuttgart, studierte Jura und Medizin, floh 1782 und lebte seit 1787 in Jena und Weimar. Er war neben J.W. von Goethe Hauptvertreter der deutschen Klassik und trat vor allem mit Dramen hervor, die das Publikum mitrissen.

Friedrich Silcher

Friedrich Silcher

Komponist, * 1789 in Schnait, † 1860 in Tübingen. Wurde 1818 Universitätsmusikdirektor in Tübingen, wo er 1829 die Liedertafel gründete. Er gab 1826–60 12 Hefte vierstimmiger Volkslieder heraus, mit von ihm gesammelten und von ihm selbst komponierten Liedern. Dazu gehören „Ännchen von Tharau", „Zu Straßburg auf der Schanz", „Muß i denn, muß i denn zum Städtele hinaus", „Ich weiß nicht, was soll es bedeuten".

Kunigunde Sophie Ludovike Simanowiz,

geb. Reichenbach, Porträtmalerin, * 1759 in Schorndorf, † 1827 in Ludwigsburg. War eine der wenigen deutschen Malerinnen des 18./19. Jahrhunderts. Berühmt sind ihre Porträts der Familie Schiller, mit der sie als Kind in Ludwigsburg zusammenlebte. Sie bekam ihre erste künstlerische Ausbildung von Nicolas Guibal, der in Ludwigsburg den Rondellsaal des Schlosses Monrepos ausmalte. Anschließend führte sie ein herzogliches Stipendium nach Paris zu Antoine Vestier.

Ludwig Uhland

Rechtsanwalt, Politiker und Dichter, * 1787 in Tübingen, † 1862 in Tübingen. War 1810–14 Sekretär im Justizministerium, dann Rechtsanwalt in Stuttgart. Staatsbeamter konnte er nicht werden, da er es ablehnte, dem König, der 1805 widerrechtlich den Landtag aufgelöst hatte, den Eid zu schwören. 1831 wurde er Landtagsabgeordneter, 1829 Professor für deutsche Sprache und Literatur in Tübingen. Als ihm die Regierung den Urlaub zur Ausübung seines Mandats verweigerte, legte er seine Professur nieder. Er zog sich 1838–48 aus der Politik zurück und wurde dann Mitglied der Frankfurter Nationalversammlung. Seine Gedichte, vorwiegend Balladen und Romanzen sind als Volkslieder bekannt: „Ich hatt' einen Kameraden", „Der Wirtin Töchterlein", u. v. a. m.

Christoph Martin Wieland

Dichter, * 1733 in Oberholzheim b. Biberach, † 1813 in Weimar. War neben Klopstock (Lyrik) und Lessing (Drama) der große Erzähler der Aufklärung. Kam 1769 als Professor für Philosophie nach Erfurt, ab 1772 als Erzieher der Söhne der Herzogin Anna Amalie nach Weimar. Die ersten deutschen Shakespare-Übersetzungen stammen von ihm. Seine Werke waren u. a. „Musarion oder die Philosophie der Grazien" (1768), „Agathon" (1766/67), „Die Abderiten" (1774), „Oberon" (1780).

Ferdinand von Zeppelin

Offizier u. Unternehmer, * 1838 in Konstanz, † 1917 in Berlin-Charlottenburg. War württ. Offizier, schied 1892 aus dem Dienst aus und widmete sich der Verwirklichung der von ihm erdachten Luftschiffe. 1900 stieg der erste Zeppelin am Bodensee auf.

Personnages illustres

Parmi les innombrables personnages illustres du Bade et du Wurtemberg, citons quelques femmes et quelques hommes représentatifs. Leur courte biographie doit permettre d'évoquer les nombreuses autres célébrités du land.

Carl Friedrich Benz

*Ingénieur, *1844 Karlsruhe, †1929 Ladenburg près de Mannheim. Il créa en 1885 la voiture entraînée par un moteur monocylindrique à quatre temps. Avec* ***Gottlieb Daimler*** **1834 Schorndorf, †1900 Stuttgart-Bad-Cannstatt, qui inventa le moteur rapide à combustion et à allumage par tube incandescent, il est considéré comme l'inventeur de la voiture moderne.*

Robert Bosch

*Grand industriel, *1861 Albeck près d'Ulm, †1942 Stuttgart. Il fonda en 1886 à Stuttgart un atelier de mécanique de précision et inventa peu après la bougie d'allumage Bosch qui permit à l'entreprise de prendre une importance mondiale.*

Claude Dornier

*Constructeur d'avions, *1884 Kempten, †1969 Zug, Suisse. Il fonda en 1914 près de Friedrichshafen une usine aéronautique et conçut l'hydravion. Il construisit en 1929 le premier gros porteur du monde, l'hydravion géant Do X, qui pouvait transporter 169 passagers.*

Albert Einstein

*Physicien, *1879 Ulm, 1955 Princeton, USA. Il élabora la théorie de la relativité et reçut en 1921 le prix Nobel de physique pour ses travaux sur la théorie des quanta. Les Nazis l'ayant déchu de la nationalité allemande en 1933 parce qu'il était juif, il émigra aux Etats-Unis.*

Georg Wilhelm Friedrich Hegel

*Philosophe, *1770 Stuttgart, †1831 Berlin. Sa philosophie est marquée par l'idéalisme absolu qui oppose la raison, système absolu, à la contradiction existant entre le sujet et l'objet et par la méthode dialectique selon laquelle les contraires non seulement se complètent mais naissent l'un de l'autre tout comme leur synthèse. Feuerbach, Marx et Engels firent de l'hégélianisme l'une des bases du matérialisme historique.*

Martin Heidegger

*Philosophe, *1889 Messkirch, †1976 Fribourg en Brisgau. Il présenta l'existentialisme comme une ontologie qui conçoit l'être comme une existence comprenant l'être. Il fit évoluer l'existentialisme de Kierkegaard et la phénoménologie d'Husserl et succéda à Husserl à Fribourg en 1928. C'est à partir de ses idées que Jean-Paul Sartre édifia sa philosophie de l'existentialisme.*

Ernst Heinkel

*Constructeur d'avions, *1888 Grunbach, †1958 Stuttgart. Il survola le Cannstatter Wasen en 1911 dans un avion qu'il avait construit lui-même. En 1938, il conçut le premier avion fusée à réaction du monde.*

Hermann Hesse

*Ecrivain, *1877 Calw, †1962 Montagnola, Suisse. Il interrompit ses études de théologie à Maulbronn pour vivre de sa plume à partir de 1904. Il effectua un voyage en Inde en 1911 et prit la nationalité suisse en 1921. Il reçut en 1946 le prix Nobel de littérature. Ses oeuvres les plus connues sont « Siddartha » (1922), « Le Loup des Steppes » (1927), « Narcisse et Goldmund » (1930) et le « Jeu des Perles de Verre » (1943).*

Theodor Heuss

*Homme politique, *1884 Brackenheim, †1963 Stuttgart. Il fut député du parti démocratique allemand (libéral) au Reichstag jusqu'en 1933 et fut écarté de la vie politique durant la période nazie. En 1945/46 il devint ministre de la Culture de Bade-Wurtemberg, fut l'un des membres fondateurs du FDP, fit partie du Conseil parlementaire de 1949 et joua un rôle décisif dans l'élaboration de la Loi fondamentale. De 1949 à 1959, il fut le premier président de la République Fédérale d'Allemagne.*

Friedrich Hölderlin

*Poète, *1770 Lauffen am Neckar, †1843 Tübingen. Il fit ses études à Tübingen avec Hegel et Schelling; pour vivre, il fut obligé de devenir le précepteur des enfants du banquier Gontard de Francfort dont il chanta l'épouse, prénommée, Suzette sous le nom de « Diotima ». Revenant d'un voyage à Bordeaux, il fut atteint d'aliénation mentale et vécut à partir de 1807 chez le menuisier Zimmer à Tübingen. Il composa le roman épistolaire Hyperion (1797/99) et écrivit surtout des vers dans une langue extraordinaire où se fondent la poésie, la théologie, le mythe et la philosophie.*

Friedrich Hölderlin

Hermann Hesse

Johannes Kepler

*Astronome, *1571 Weil der Stadt, †1630 Ratisbonne. Il fut astronome de la Cour à Prague de 1601 à 1612 et découvrit les lois du mouvement des planètes. Il démontra que celui-ci était dû à une force provenant du soleil, ce qui contribua à faire admettre le système de Copernic.*

Justinus Kerner

*Médecin et poète, *1786 Ludwigsburg, †1822 Weinsberg. Etudiant, il se lia d'amitié avec Uhland et Schwab et fut au centre de l'école de poésie souabe. Beaucoup de ses poèmes sont devenus populaires.*

Sophie de La Roche

*née Gutermann, écrivain, *1731 Kaufbeuren, †1807 Offenbach am Main. Son roman « Histoire de Mademoiselle de Sternheim » la rendit célèbre et fit d'elle le premier auteur féminin allemand de littérature facile. Elle était la cousine et la première fiancée de C. M. Wieland. Elle écrivit par la suite d'innombrables autres romans, nouvelles, journaux de voyages et publia diverses revues mensuelles. Maximiliane, sa fille ainée, épousa Peter Brentano, négociant à Francfort. Sophie est donc la grand-mère de Clemens Brentano et de Bettina von Arnim, née Brentano.*

Friedrich List

*Economiste, *1789 Reutlingen, †1846 Kufstein; s'est suicidé. S'opposant au gouvernement du Wurtemberg, il dut renoncer à ses fonctions de professeur de faculté à Tübingen. Député à la chambre de Wurtemberg, il fut condamné à la forteresse en 1822 pour activitées subversives et il immigra aux Etats-Unis. Devenu consul des Etats-Unis, List revint en 1830; cet économiste a le mérite d'avoir favorisé l'union douanière et fait construire le chemin de fer en Allemagne.*

Philipp Melanchton

*Humaniste et réformateur, *1497 Bretten, †1560 Wittenberg. Il devint maître et professeur de langues anciennes à Tübingen en 1514. Sur la recommandation de Johannes Reuchlin, il devint professeur à Wittenberg en 1518. Il se joignit en 1521 au combat de Martin Luther pour réformer l'Eglise. Ce savant de grande envergure et «praeceptor Germaniae» réorganisa l'université et l'enseignement dans les pays allemands protestants.*

Eduard Mörike

*Pasteur et poète, *1804 Ludwigsburg, †1875 Stuttgart. Il fut élève de l'école conventuelle d'Urach et fit ses études à Tübingen. De 1834 à 1843, il fut pasteur à Cleversulzbach et de 1851 à 1866 professeur de littérature dans un pensionnat, le Königliche Katharinenstift de Stuttgart. De nombreux poèmes de Mörike ont été mis en musique par Schumann et Brahms. Oeuvres en prose, par exemple: «Idylle sur le Bodensee» (1846) et le «Petit Vieux de Stuttgart» (1853).*

Kunigunde Sophie Ludovike Simanowiz

Johannes Reuchlin

*Humaniste et juriste, *1455 Pforzheim, †1522 Stuttgart ou Bad Liebenzell. On considère qu'il est, avec Erasme de Rotterdam, le principal représentant de l'humanisme allemand. Il fut membre du tribunal de la Cour et conseiller du comte Eberhard jusqu'en 1496. Fondateur des études hébraïques, Reuchlin fut le premier à effectuer un examen scientifique de l'Ancien Testament. Ayant refusé d'interdir tous les livres juifs en 1520, il fut déclaré hérétique et vécut à Tübingen après être entré dans l'ordre des Augustins.*

Ludwig Uhland

Friedrich Wilhelm Joseph Schelling

*Philosophe, *1775 Leonberg, †1854 Ragaz, anobli en 1806. Il fit ses études à Tübingen où il fut le condisciple de Hegel et de Hölderlin. Il fut appelé à Iéna sur la recommandation de Goethe. Il allia l'idéalisme allemand au romantisme et intégra la nature et l'art à sa philosophie. Il devint professeur à l'université de Würzburg en 1803 et secrétaire général de l'Académie des Beaux Arts de Munich en 1806, puis professeur à Berlin à partir de 1841.*

Friedrich Schiller

*Poète, *1759 Marbach am Neckar, †1805 Weimar, anobli en 1802. Elève de la Hohe Carlsschule de Stuttgart à partir de 1773, il fit des études de droit et de médecine. Mais il prit la fuite en 1782 et vécut à Iéna et à Weimar à partir de 1787. Il est, avec Goethe, le représentant principal du classicisme allemand. Ses tragédies qui enthousiasmaient le public le rendirent célèbre.*

Friedrich Silcher

*Compositeur, *1789 Schnait, †1860 Tübingen. Devint directeur du conservatoire de Tübingen en 1818 où il fonda une chorale en 1829. De 1826 à 1860, il publia douze recueils de chansons populaires à quatre voix qu'il avait rassemblées ou dont il était l'auteur. Nombre d'entre elles sont encore très connues.*

Kunigunde Sophie Ludovike Simanowiz

*née Reichenbach, portraitiste, *1759 Schorndorf, †1827 Ludwigsburg. Elle fut l'une des quelques femmes peintres des XVIIIème et XIXème siècles en Allemagne. Ses portraits de la famille Schiller avec laquelle elle vécut à Ludwigsburg dans son enfance sont célèbres. Elle prit ses premières leçons avec Nicolas Guibal qui peignit la rotonde du château de Monrepos à Ludwigsburg et obtint une bourse du duc afin de poursuivre ses études à Paris auprès d'Antoine Vestier.*

Ludwig Uhland

*Avocat, homme politique et poète, *1787 Tübingen, †1862 Tübingen. De 1810 à 1814, il fut secrétaire au ministère de la Justice, puis avocat à Stuttgart. Il ne put devenir fonctionnaire car il refusa de prêter serment au roi qui avait dissout arbitrairement le parlement en 1805. Il devint professeur de lettres et de littérature à Tübingen en 1829. Mais, élu député en 1831, il démissionna parce que le gouvernement lui refusait un congé pour exercer ses fonctions parlementaires. Entre 1838 et 1848, il se retira de la politique. En 1848, il fut membre de l'Assemblée nationale de Francfort. Ses poèmes – essentiellement des ballades et des romances – sont devenus des chansons populaires.*

Christoph Martin Wieland

*Poète, *1733 Oberholzheim près de Biberach, †1813 Weimar. Il fut, avec Klopstock (poésie) et Lessing (dramaturgie) le grand écrivain du siècle des Lumières. Il devint professeur de philosophie à Erfurt et précepteur des fils de la duchesse Anna Amalie de Weimar à partir de 1772. Il fut le premier à traduire Shakespeare en allemand. Il écrivit, entre autres, Musarion ou la philosophie des Grâces (1768), Agathon (1766/67), Les Abdérites (1774), Obéron (1780).*

Ferdinand von Zeppelin

*Officier et entrepreneur, *1838 Constance, †1917 Berlin-Charlottenburg. Officier dans l'armée de Wurtemberg, il quitta le service en 1892 pour se consacrer exclusivement à l'invention de ses dirigeables. En 1900, le premier zeppelin s'éleva dans les airs sur les bords du lac de Constance.*

Ferdinand von Zeppelin

Ortsregister

Index of place names · Index des localités

Die kursiven Seitenzahlen beziehen sich auf die Abbildungen.

Bildnachweis

Foto Baumann 18 u. l.
Andreas Beck 105, 107 o., 119
Günter Beck 82, 84 u.
Bilderberg/Fischer 146 u. r., 147, 149, 151, 153
Boehringer Mannheim 148 o. l.
Bosch Pressedienst 152 u. r., 156 l.
Luftbild Albrecht Brugger 24 (freigeg. Reg.-Präs. Stgt. 2/61343 C), 64/65 (freigeg. Reg.-Präs. Stgt. 2/56123 C), 95 (freigeg. Reg.-Präs. Stgt. 2/52387 C)
Daimler-Benz 144, 152 o. l.
Deutsche Schillerges. 158 r., 159 l.
Furtwanger Uhrenmuseum 89 o.
Dornier Friedrichshafen 146 o. l.
Robert Häusser 66 r. u.
Museum Hauff 108 o.
Hellige Freiburg 150 u. r.
Verkehrsamt Hinterzarten 94 u.
Burghard Hüdig 5
IBM Deutschland 148 o. r.
Kernforsch.-Zentrum Karlsruhe 148 u. r.
Hannes Kilian 19 l.
Kinkelin 66 o. r., 67 u., 71 o., 90, 99
G. + W. Klammet 47, 53 u., 71 u.
D. J. Krätschmer 96 u. l., Umschlagrückseite, 142
Landesbildstelle Württ. 26 u., 69, 154 (3), 155 (2), 156 (2), 157 (2), 158 l., 159 (2)
Liebherr Ehingen 150 o. r.
Löbl-Schreyer 50, 52 u. r., 81, 92, 108 l., 134 u.
Manfred Mehlig 20, 26 o., 86 o. l., 87 u., 94 o., 133, 134 o. l., 134 o. r.
Werner Otto 120
Horst Rudel 19 u. r.
C. L. Schmitt 76
Marco Schneiders 118, 135 u.
Toni Schneiders 66 u. l., 132 u., 138
Robert Schuler 53 o.
Stgt. Luftbild Elsäßer 54 (freigeg. Reg.-Präs. Stgt. 9/82576)
Luftbild Franz Thorbecke 132 o. (freigeg. Luftamt Südbayern G 5/6790)
J. M. Voith GmbH 150 o. l.
Carl Zeiss 146 u. l.
Alb. Zimmermann 25 u.

Übrige Aufnahmen: Thomas Pfündel

Zeichnungen: Hans-Dieter Sumpf 13, 35, 57, 79, 101, 123

Karten:
GEO/Detlef Maiwald Vorsatz
Landesvermessungsamt Baden-Württemberg 6